Solstice

DU MÊME AUTEUR

Les Nuits Racine, *Éditions de Fallois, 1992, prix Roger-Nimier*
Mémoires de Monte-Cristo, *Éditions de Fallois, 1994*
Tous les secrets de l'avenir, *Fayard, 1996*
Aragon 1897-1982. « Quel est celui qu'on prend pour moi ? », *Fayard, 1997, prix de la critique de l'Académie française*
Des hommes qui s'éloignent, *Fayard, 1997*
Journal de Marseille, *Éditions du Rocher, 1999*
Anielka, *Stock, 1999, Grand Prix du roman de l'Académie française*
N 6, la route de l'Italie, *Stock, 2000*
Le Cas Gentile, *Stock, 2001*
Borges, une restitution du monde, *Mercure de France, 2003*
Balzac, *Folio, 2005*
Option Paradis (La Grande Intrigue I), *Stock, 2005*
Telling (La Grande Intrigue II), *Stock, 2006*
Il n'y a personne dans les tombes (La Grande Intrigue III), *Stock, 2007*
Ce monde-là, *Flammarion, 2008*
Un réfractaire, Barbey d'Aurevilly, *Bartillat, 2008*
Ce n'est pas la pire des religions *(avec Jean-Marc Bastière), Stock, 2009*
La Langue française au défi, *Flammarion, 2009*
Les romans vont où ils veulent (La Grande Intrigue IV), *Stock, 2010*
Time to turn (La Grande Intrigue V), *Stock, 2010*
Le Père Dutourd, *Stock, 2011*
Clermont-Ferrand absolu *(illustrations de Bernard Deubelbeiss), Page centrale, 2011*
Irréfutable Chaîne des Puys *(illustrations de Bernard Deubelbeiss), Page centrale, 2013*
L'Écriture du monde, *Stock, 2013*
La Croix et le Croissant, *Stock, 2014*

François Taillandier

Solstice

roman

Stock

Couverture Atelier Didier Thimonier
Photo de couverture : © Scènes de la vie de Charlemagne,
Cathédrale de Chartres / Bridgeman Images.

ISBN 978-2-234-06508-6

Sommaire

Première partie

La sépulture de l'apôtre

1

La tradition rapporte qu'en l'année du Seigneur 713, lorsque les Maures et Sarrasins, commandés par l'émir Moussa Ibn Noçaïr, s'approchèrent de la ville de Mérida en Espagne, un petit groupe de soldats et de moines prit la fuite, emportant les restes de l'apôtre Jacques le Majeur, qui s'y trouvaient inhumés depuis le temps lointain où la cité avait été la capitale du royaume.

L'invasion était partout, téméraire, impétueuse, bousculant tous les obstacles. Le royaume wisigoth payait cher l'incurie de ses derniers rois, l'égoïsme de ses nobles. Tandis que les épidémies et la famine ruinaient le pays, dépeuplant les campagnes, poussant le peuple à la révolte et les esclaves à la fuite, tandis que l'on pressurait et humiliait les juifs, rendus responsables de tous les maux, les grands du royaume se gavaient d'impôts et de prébendes, et le roi Wittiza, indifférent aux malheurs du temps, menait une vie d'orgie parmi ses concubines, corrompant le clergé chrétien lui-même et l'incitant à la débauche.

Les plus saintes lois s'écroulent quand les hommes qui les incarnent n'en sont plus les garants et ne donnent point l'exemple. Dans la colère et le mépris qui s'exprimaient publiquement à l'encontre du monarque, Roderigo, duc de Bétique, vit un moyen d'assouvir sa propre ambition. C'était un homme puissant que Roderigo : les territoires placés sous sa férule s'étendaient de Gadès à Carthagène ; Séville et Cordoue en faisaient partie ; ils ne représentaient pas moins d'un quart du royaume. Roderigo leva les soldats que son copieux trésor lui permettait de rétribuer, marcha sur Tolède, fit saisir Wittiza dans son palais et ordonna qu'on lui crevât les yeux, selon la coutume wisigothique, avant de le mettre à mort ; après quoi il s'arrogea le trône.

Mais Roderigo n'était pas un justicier ; seulement un rival. C'était un vautour succédant à un loup. Il ne suscita parmi le peuple ni plus de respect ni plus d'amour que son prédécesseur. Quelques-uns lui reprochaient le crime ; la plupart, son arrogance, sa rapacité, sa cruauté.

Cependant, quelques fidèles de Wittiza étaient parvenus à passer sur la côte mauritanienne, dans la citadelle de Ceuta, emmenant avec eux le jeune prince Agila, fils du monarque assassiné.

Ceuta, que les Grecs avaient nommée Hepta et les Romains Septem, était alors gouvernée, au profit de Constantinople, par le comte Julien, lequel haïssait Roderigo. Il l'accusait d'avoir déshonoré sa fille, naguère envoyée en Espagne pour y être éduquée. Roderigo, d'après ses dires, alors qu'elle se baignait nue dans la rivière avec ses servantes, les avait épiées, puis en avait abusé avec ses sbires. Animé par cette rancune, Julien fit aux fugitifs une proposition étonnante : leur procurer l'aide des Sarrasins.

Les Sarrasins ! Qu'on appelait aussi Arabes, agaréens, ismaéliens, adorateurs de Mahom... Surgis naguère des fins fonds du lointain Orient, ils dominaient désormais toute la vieille Afrique romaine, celle de Scipion et d'Augustin, celle des florissantes cités de Leptis, d'Hadrumète, de Césarée, de Carthage. Ils avaient édifié leurs propres villes fortes, Kairouan et Tunis, ils s'étaient assuré le contrôle de Tanger, mais ils avaient jusque-là négligé Ceuta, presqu'île retirée, difficile à prendre et qui, jugeaient-ils, ne leur servirait à rien dans l'immédiat. Son reliquat d'indépendance, toutefois, ne tenait qu'à leur bon vouloir, et c'est pourquoi Julien, quoiqu'il demeurât en principe le représentant de l'empereur byzantin, usait à leur égard d'une diplomatie oblique, cauteleuse, se posant pour son propre compte en candidat à une vassalité qui ne dirait pas son nom.

Or ils cherchaient depuis longtemps l'occasion de prendre pied sur les rives hispaniques. Julien sut représenter à l'émir Moussa la chance que lui offraient les dissensions civiles surgies dans ce pays. Si l'on était habile, le petit peuple d'Espagne, qui n'avait jamais oublié que les Wisigoths étaient étrangers à son sol, se résignerait aisément à l'apparition de nouveaux maîtres. Il suffisait pour s'en convaincre d'écouter les juifs, nombreux à s'être réfugiés en Afrique pour fuir humiliations et confiscations, et qui jetaient leurs plaintes à tous les échos.

Moussa fit ses calculs. Ses prédécesseurs avaient eu fort à faire, durant la conquête de ce qu'ils nommaient l'Ifriqiya, pour soumettre les Berbères, un peuple très ancien, prodigue en guerriers intrépides et ombrageux. Galvanisés par celle que l'on nommait la Kahina, une espèce de sorcière ou de prêtresse dont on ne savait au juste si elle était juive ou chrétienne, ils avaient résisté furieusement, n'hésitant pas à tout détruire et brûler sur leur propre territoire pour faire le vide devant l'envahisseur. Il avait fallu en massacrer un grand nombre avant d'obtenir la soumission de ceux qui restaient. Les survivants enfin s'inclinèrent et même, pour la plupart, acceptèrent la parole du Prophète, mais ils demeuraient remuants. Un vieil orgueil de race leur faisait réclamer sans cesse le prix de leur ralliement ; le compte n'était jamais apuré. En somme, vaincus, soumis, ils trouvaient encore le moyen de se faire craindre. L'émir songea qu'en les envoyant conquérir l'Espagne, leur fournissant ainsi de quoi employer leurs énergies, il les rendrait utiles et s'en débarrasserait du même coup.

L'un d'eux, Tariq, dit « le Borgne », car il avait au temps de sa jeunesse laissé un œil dans une rixe d'honneur, avait alors suffisamment démontré son loyalisme pour être nommé gouverneur militaire de Tanger. C'était un homme dur, courageux, univoque. Son esprit, en quelque sorte, était comme son regard. Le choix de l'émir se porta sur lui ; Tariq se vit offrir suffisamment de bateaux pour y embarquer plus de sept mille hommes.

Il franchit nuitamment le détroit, les fit débarquer par contingents successifs dans un secteur désert, puis, personne n'ayant réagi, il marcha sans coup férir sur Séville, qu'il assiégea.

Roderigo tâchait alors de mater dans le nord du pays la rébellion de Pampelune. Apprenant la nouvelle, il se hâta de revenir afin d'affronter cet ennemi imprévu. Mais, trahi au cours de la bataille par des combattants demeurés secrètement hostiles à sa royauté, il périt près du fleuve nommé plus tard Guadalete, et rien ne put empêcher Tariq de marcher sur Tolède, cependant qu'Algésiras, puis Gadès, tombaient aux mains de ses lieutenants.

L'année suivante, l'émir Moussa lui-même passait à son tour en Espagne à la tête d'une nombreuse armée, dans le dessein de parachever la conquête et surtout de ne pas en laisser toute la gloire à Tariq, dont il se méfiait. Il ne tarda d'ailleurs pas à s'en débarrasser. Tariq fut accusé d'avoir indûment dérobé du butin, notamment une certaine table précieuse, incrustée d'émeraudes. On l'arrêta, on le couvrit de chaînes et on l'expédia à Damas pour qu'il rendît compte au calife de ses crimes supposés ou réels. Il mourut en chemin.

L'émir Moussa était désormais maître du jeu. Le prince Agila et ses affidés, pas plus que le comte Julien lui-même, n'avaient, faut-il le dire, pesé bien lourd au milieu de tous ces événements ; personne ne se soucia même de ce qu'ils étaient devenus.

Et c'est ainsi que les habitants de Mérida, prévoyant que la ville aurait bientôt à subir le siège à son tour, et tout en débattant s'il valait mieux se défendre ou se livrer, prirent la décision de mettre la dépouille mortelle de l'apôtre à l'abri de la profanation.

2

L'apôtre Jacques, en effet, et nul autre, avait jadis évangélisé l'Hispanie ; c'est en tout cas ce qu'avait professé naguère le grand Isidore, évêque de Séville et ministre des rois, dont la science était universelle et la parole indiscutée.

Jacques, fils de Zébédée, était le frère de Jean, le futur évangéliste. Tous deux avaient été parmi les premiers à abandonner gagne-pain et famille pour répondre à l'appel de Jésus. Ce dernier appréciait Jacques et l'avait surnommé Boanergès, « fils du tonnerre », tant était enflammé son zèle contre les gentils et les Samaritains. Par la suite, Jacques avait été un des trois disciples témoins de la transfiguration de Jésus dans la montagne, et de son entretien avec Moïse et le prophète Élie ; extraordinaire secret qu'ils ne révélèrent que plus tard. Il devait être également l'un des trois qui demeurèrent près de lui dans le jardin de Gethsémani. Là, tandis que le Maître, abîmé en prière, endurait par avance le martyre auquel il se savait promis pour la rémission des péchés, la fatigue lui avait étreint les tempes, ainsi qu'à ses deux compagnons, et ils avaient dormi.

C'est sans doute afin de racheter ce moment de faiblesse que Jacques, par la suite, s'était imposé d'aller porter la parole de Jésus dans ce lointain pays occidental, où finissait le monde, après quoi il était retourné en Judée. Le roi Hérode Agrippa, ami des Romains, et qui haïssait les chrétiens autant qu'il s'en supposait haï – ce en quoi il ne se trompait guère –, le fit alors arrêter et décapiter. Les amis de Jacques recueillirent son corps et sa tête, et les transportèrent dans une barque, laquelle, d'elle-même, ou plutôt conduite par les anges du Seigneur, revint aborder au rivage hispanique.

Être sanctifié par un compagnon du Christ : tous les pays n'avaient pas eu un tel privilège ! Rome recelait les restes de Pierre, Éphèse s'enorgueillissait d'avoir vu mourir Jean ; Mérida s'égalait à elles en abritant cette dépouille insigne, et certes, ce ne fut pas de gaieté de cœur que ses citoyens se résolurent à s'en séparer. Mais il ne fallait pas qu'elle tombât aux mains de ces païens, de ces adorateurs d'idoles.

L'ayant hissée sur un chariot dans le silence solennel du peuple assemblé, après un grand déploiement de prières et de bénédictions, les clercs et leur escorte entreprirent donc un long voyage, avec quelques mulets et un peu d'or collecté parmi les fidèles. Le but était de transporter et de dissimuler l'apôtre dans les parages les plus retirés de quelque contrée secrète et inaccessible. Ils avaient choisi pour cela le pays des Suèves, dans le nord-ouest de la péninsule : une région de plateaux, de rochers, de falaises, assiégée par les pluies et l'océan gaulois. Ils l'ensevelirent là, dans la campagne, près d'un humble hameau aux toits de paille et de branchages, où erraient des humains à demi sauvages et des porcs.

Nul ne sait ce que devinrent par la suite les voyageurs. Mérida, après une défense héroïque, tomba aux mains de l'émir, et l'on n'en parla plus.

3

Dans le même temps, les conquérants avaient pris Cordoue après Séville, et Valence après Tolède, et puis Barcelone, et puis Saragosse : toutes les vieilles cités établies des siècles plus tôt par l'empire de Rome, où subsistaient des fortifications, des temples, des théâtres devenus des champs de ruines. Les vainqueurs entraient, avec des rugissements d'allégresse, dans les palais où les seigneurs wisigoths avaient abandonné leurs tapisseries et leurs coffres, leur vaisselle d'argent et leurs barriques de vin ; ils y prenaient leurs quartiers sans manières et exigeaient qu'on les servît. Abandonnés par leurs anciens maîtres après en avoir si longtemps subi l'oppression, les habitants voyaient l'inutilité de toute résistance, et la souhaitaient d'autant moins que l'émir avait promis de respecter les églises et les synagogues, ce qui fut à peu près le cas. Ainsi les villes étaient-elles lâches, quand les campagnes étaient désarmées : tout se résigna et se coucha.

Les conquérants, enivrés de victoires, avaient cependant hésité devant les montagnes qui formaient, dans le nord du pays, tout le long de la mer Cantabrique, une sorte de forteresse naturelle, immense, revêche, ténébreuse.

Là s'était retranché Pelayo, un noble chrétien, que certains disaient même de sang royal, avec un petit nombre de compagnons. Ils s'étaient établis aux flancs du mont Ausera, dans une grotte surmontée d'effrayants rochers, en contrebas de laquelle grondait une cataracte impétueuse. Non loin se trouvait la cité de Cangas. Pelayo et ses hommes allèrent à la rencontre de ses habitants, et de ceux d'autres localités voisines. Ils contèrent les malheurs du royaume, décrivirent avec force détails (et à l'occasion inventèrent) les atrocités commises par les sectateurs de Mahom, ces diables aux yeux rouges qui jappaient une langue incompréhensible et qui brûlaient tout, violaient tout, tuaient tout, spoliaient tout. Il n'est pas nécessaire qu'un récit soit vrai pour qu'il soit efficace : il suffit qu'il soit cru. Ces terribles représentations eurent sur les imaginations l'effet escompté ; les hommes valides s'armèrent et s'entraînèrent au combat. L'an 718, Pelayo fut proclamé roi des Asturies – ainsi appelait-on cette région du nom de ses anciens habitants, les Celtes astures.

Les Sarrasins, qui avaient déjà entrepris de combattre au-delà des Pyrénées dans le royaume des

Francs, s'étaient donc résignés d'abord à ce que subsistât cette principauté improvisée, du moment qu'elle demeurait recluse en ses montagnes. Mais les guerriers de Pelayo n'entendaient pas seulement se défendre : ils rêvaient de chasser l'envahisseur, et infligèrent même quelques revers à ses garnisons au cours d'audacieuses descentes dans la plaine. C'est pourquoi, un peu plus tard, le chef berbère Munuza reçut mission d'en finir avec ces bandes irrédentistes.

Il commença par leur envoyer le nommé Oppas, frère de feu le roi Wittiza, qui était devenu l'évêque de Séville. Il escomptait que ce saint représentant de l'ancienne royauté obtiendrait leur capitulation pacifique. Il se trompait : ce mitré qui se faisait le valet des infidèles ne suscita que mépris et crachats de la part de Pelayo et de ses hommes. Alors, Munuza passa à l'offensive.

Et ce fut un désastre. Ses soldats s'aventurèrent dans les défilés et les escarpements, enténébrés par d'épaisses forêts, de ces montagnes dont ils ignoraient tout. Les Asturiens les laissèrent s'y enfoncer à loisir, puis leur coupèrent la retraite et, embusqués sur les pentes, les criblèrent de flèches avant de les tailler en pièces dans le fond des ravins. Les gaves empourprés portèrent dans la plaine, avec leurs turbans et leurs sandales, tout le sang qu'ils avaient versé. Seuls quelques-uns parvinrent à s'échapper de cet abattoir, et l'émir dut renoncer une fois encore à la conquête de la région.

Les Asturiens entonnèrent des actions de grâce, la renommée de Pelayo s'étendit : pour la première fois depuis que l'on entendait parler d'eux, les combattants de Mahom, que l'on commençait à croire invincibles, s'étaient brisé les dents.

Le bruit courut alors que la Vierge Marie était apparue dans la grotte sauvage où Pelayo s'était installé à sa venue dans le pays. C'est pourquoi par la suite cet endroit prit le nom de Cova Dominica, la grotte de la Souveraine.

Pelayo régna pendant un quart de siècle sur cette haute contrée, s'efforçant de consolider son emprise. Lui succédèrent d'abord son fils, Favila, puis, ce dernier étant mort sans enfant, le nommé Alfonso, auquel Pelayo avait donné en mariage sa fille Hermesinda. Alfonso n'était pas n'importe qui. Il descendait en droite ligne du grand roi Récarède, le premier à avoir réuni sous sa férule tous les peuples de la péninsule, le premier aussi à les avoir arrachés à l'hérésie arienne pour les soumettre à l'évêque de Rome et à la vraie foi.

Au cours d'un règne qui dura presque vingt ans, Alfonso fit preuve des mêmes vertus qu'avait montrées son beau-père, et mena un combat inlassable contre l'occupant maure. Il entra en Galice, prit les cités de Lugo, Orense, Astorga, León. Il soumit également, à l'est, le pays de Rioja, et rattacha à lui la Biscaye. Chaque conquête lui procurait de nouveaux impôts et de nouveaux soldats. Il s'enhardit, poussa des chevauchées jusque vers Ségovie et Salamanque. Il appliquait une règle impitoyable : détruire ce qu'on ne peut conserver. Il se retirait ne laissant derrière lui que des contrées ravagées, où l'adversaire ne trouvait plus ni une maison debout ni une grange pleine.

Ainsi le petit royaume de Pelayo n'était-il plus une enclave lointaine, perchée dans ses montagnes : il devenait une épée suspendue au-dessus de l'Hispanie mauresque.

4

Or en ces temps vivait, dans le monastère voisin de Liébana, un savant et saint homme du nom de Beatus, « le Bienheureux ». Sa réputation était grande, son autorité ne l'était pas moins, et la vénération qui l'entourait était telle qu'Alfonso en avait fait son confesseur personnel, ainsi que l'instituteur de sa propre fille.

Le rayonnement de Beatus et l'influence qu'il exerçait tenaient à une autre cause que sa foi exemplaire et communicative. Établi au siècle précédent par l'évêque d'Astorga dans une haute vallée, au milieu de régions désertes, le monastère de Liébana avait, depuis l'invasion sarrasine, accueilli de nombreux réfugiés chrétiens ; le roi des Asturies s'était fait un devoir de lui apporter sa protection, trouvant parmi ces malheureux, privés de leurs terres et de leurs maisons, de nouveaux sujets, de nouveaux soldats, tandis que Beatus y trouvait de nouveaux fidèles.

Beatus était bien le pasteur qu'il fallait à ces pauvres gens. C'était un petit homme rond, aux yeux perçants, à la bouche édentée qui laissait échapper de l'eau. Son monastère obéissait à la règle sévère édictée deux siècles plus tôt par l'Italien Benoît de Nursie dans l'abbaye qu'il avait fondée au sommet du mont Cassin. De très nombreux monastères et abbayes, dans tout le monde chrétien, l'avaient adoptée. Beatus en illustrait lui-même toute la rigueur et l'intransigeance ; il y ajoutait la furie. Il était toujours véhément, qu'il traitât d'affaires humaines ou de choses saintes. Son livre favori était celui de l'Apocalypse, qu'il avait traduit en langue vulgaire et qu'il commentait inlassablement. Il le savait par cœur, ce livre, et il en faisait tonner autour de lui les phrases, en toute occasion. Ce n'étaient que trompettes qui sonnaient et sceaux que l'on brisait, calices versant à longs traits la maladie et la misère ; ce n'étaient que dragons jaillissant de la mer, que cavaliers rouges ou blêmes surgissant aux quatre points cardinaux ; ce n'étaient que famines, épidémies, malédictions, martyres et catastrophes, enfin toute la colère de Dieu, fastueusement déployée en prélude au couronnement triomphal de l'Agneau. Car l'avènement du Royaume était proche, et la terre entière en serait secouée, battue comme le blé sur l'aire ; le bon grain trouverait place dans les greniers célestes, et la balle serait jetée « au feu qui ne s'éteint pas », ainsi que l'avait annoncé Jean le Baptiste sur les bords du Jourdain. Montagnards, villageois, hommes d'armes, et le roi lui-même, se massaient pour entendre ces fulminations.

Or, Beatus avait cru déceler, dans ces pages tumultueuses, la prédiction de l'invasion sarrasine, laquelle n'était arrivée, estimait-il, qu'en punition de nos péchés. Là, tout le monde en prenait pour son grade. Il maudissait Wittiza, le roi indigne ; mais il ne maudissait pas moins le crime de Roderigo, qui prenait à ses yeux les allures d'un parricide, et qui avait déclenché le châtiment divin. D'après lui, le duc félon n'avait pas péri comme on le disait dans la bataille du Guadalete : il errait désormais éternellement, seul et maudit, dans les déserts.

– Un jour, expliquait-il, il s'arrêta près d'une maison et demanda à boire. On lui tendit la cruche d'eau, mais quand il la porta à ses lèvres, elle était pleine de sang.

Ainsi était puni le grand fautif de l'invasion sarrasine, et les humbles Asturiens s'en redisaient le récit sans trop se demander s'il provenait d'une autre source que l'esprit inventif du moine. Quant aux cavaliers de Mahom, toujours d'après l'interprétation qu'il faisait du saint Livre, ils n'étaient autres que les hordes de Gog et Magog déferlant sur la chrétienté pour l'ultime assaut avant la parousie. Beatus les haïssait avec tout autant de ferveur :

– Ces suppôts de l'Antéchrist ne sont que scorpions et onagres ! Ce sont les fruits de l'adultère d'Abraham avec sa servante Agar ! Ce sont les maudits, rejetés au désert ! Leurs excréments stérilisent le sol ! Et il leur faut jusqu'à cent femmes, car rien n'égale leur lubricité ! Et c'est pourquoi leur postérité est plus nombreuse que celle de la vermine ! C'est en raison de nos iniquités que le Seigneur nous a livrés à leurs mains.

Mais, davantage encore que les Maures et Sarrasins (que Dieu précipiterait tôt ou tard dans les flammes de l'enfer), l'excellent moine exécrait ceux qui pactisaient avec eux, et il y en avait, parmi lesquels un certain nombre d'évêques, qui, pour s'en faire bien voir, n'hésitaient pas à renier leur foi et à mettre en doute les plus saintes vérités. Voici comment.

Les mahométans, qui connaissaient les Écritures (ils n'en étaient que plus coupables), refusaient d'admettre, pareils en cela aux « juifs perfides », que Jésus fût réellement le Messie, et non pas un vague prophète venant après d'autres. Par complaisance envers eux et pour en obtenir des avantages (c'est du moins ce dont les incriminait Beatus), ces évêques, en particulier Félix, d'Urgel, et l'archevêque Élipand, de Tolède, avaient proclamé avec hypocrisie qu'en effet Jésus n'était pas le fils de Dieu, mais que celui-ci l'avait adopté à l'issue de son baptême dans le Jourdain. Cette modeste concession, pensaient-ils, permettrait de rapprocher les deux religions. À l'appui de leurs dires, ces hérétiques citaient la fameuse scène de la colombe descendue sur Jésus, telle que la conte l'évangéliste Matthieu, et de la voix céleste qui déclare : « Celui-ci est mon fils bien-aimé. » De cette façon, Jésus était le fils de Dieu sans l'être, tout en l'étant, et tout le monde, espéraient-ils, serait satisfait.

C'était méconnaître la rigueur implacable de Beatus, lequel n'avait nullement pour objectif cette réconciliation générale, convaincu comme il l'était que Jésus (qui l'avait dit lui-même) n'était pas venu apporter la paix, mais le glaive. Le démon est dans les accommodements ! À ses yeux, les « adoptianistes », comme on les nomma, niaient ainsi la nature divine de Jésus, lequel est bel et bien fils du Père par une éternelle génération et l'a affirmé sans ambages : « Je suis dans le Père et le Père est en moi » (Jean, XIV, 11). Du même coup, ils jetaient bas la Sainte Trinité, laquelle, comme chacun le sait, n'a pas eu de commencement, car le Saint-Esprit procède éternellement du Père et du Fils « par une spiration active et passive », il n'y a pas à sortir de là. Au demeurant, au moment de son ascension, Jésus a très clairement missionné ses disciples pour baptiser les nations « au nom du Père, du Fils, et du Saint-Esprit » (Matthieu, XXVIII, 19), ce que saint Jean confirme en V, 7. Le bon moine, infatigable, enfonçait le clou :

– Ignace, Polycarpe et Epipodius ont témoigné de ces vérités dans le martyre ! Clément, Irénée, Denys d'Alexandrie, Hilaire, Athanase les ont solidement établies, mettant en déroute Arius, Macédonius et Photius, et les sabelliens, et les modalistes !

Las ! L'hérésie est une hydre dont les têtes sans cesse repoussent. Beatus, tel un nouvel Hercule, combattait cette céphalogénèse infernale, et, comme il avait son franc-parler, il traitait l'archevêque Élipand de « couille du diable ». Au reste (et cela lui apportait un renfort décisif), il avait appris que le savant Alcuin, ministre du puissant Charles, roi des Francs, avait convaincu son maître de réunir un concile qui fulminerait contre ce scandale.

Beatus entretenait de ces choses le roi Alfonso, l'exhortant à rétablir partout la royauté du Christ et la vérité trinitaire. Au moment de Pâques, le roi et sa cour se rendaient en grande pompe à Liébana. On célébrait la messe. Beatus prêchait. On ouvrait ensuite un rideau, on éclairait aux flambeaux une châsse d'or et de pierreries, et l'on se prosternait devant le trésor qu'elle contenait : le *Lignum Crucis*, un fragment de la vraie croix, que Toribio, le fondateur, avait jadis rapporté de son pèlerinage en Terre sainte.

Et ce fut en ces murs que Beatus parla au roi de l'apôtre Jacques.

5

Nul n'avait oublié que sa sépulture, désormais, se trouvait quelque part là-bas, à l'Occident, sur le *finis terrae* de l'Hispanie, dans ces terres de Galice que le roi, justement, ambitionnait de soumettre définitivement et complètement à son autorité.

Du moins, c'est ce qu'on racontait, et personne en vérité n'aurait pu dire à quel endroit précis reposait l'apôtre ; ceux qui l'avaient mené là n'étaient jamais retournés à Mérida, peut-être avaient-ils été tués sur le chemin, peut-être avaient-ils fui au nord des Pyrénées, ou s'étaient-ils embarqués pour gagner les côtes de l'Aquitaine. Mais qu'importe : n'était-ce pas pour cela même son devoir sacré, à lui, Alfonso, en tant que roi chrétien, de rechercher cette tombe et d'y planter l'étendard du Christ, afin qu'elle devînt un fanal de la chrétienté tout entière ?

Alfonso écoutait avec respect ces saintes exhortations, et demeurait pensif.

Jacques n'était pas le seul personnage des Évangiles, loin de là, à avoir gagné les pays d'Occident. Circulaient d'autres récits, qui lui étaient arrivés aux oreilles. Une barque, il y a bien longtemps, était venue s'échouer aux rives de la Provence, dans une région d'eau et de sable. À son bord se trouvaient Marie de Magdala, la grande amie du Christ, et Marie Salomé, la mère du même Jacques, accompagnées de Lazare le ressuscité et de ses sœurs Marthe et Marie. Le petit groupe s'était installé non loin de là dans la forêt de la Baume, qui depuis la nuit des temps était réputée un repaire de démons païens ; ces derniers, comme bien on pense, ne s'étaient plus jamais montrés.

À la même époque, Joseph d'Arimathie, l'homme qui avait offert son propre tombeau pour y déposer le corps de Jésus décloué, avait voyagé jusque dans la Bretagne pour y cacher le précieux vase de la Cène, où avait été recueilli le sang du Sauveur. Et puis il y avait aussi Zachée, ce publicain de Jéricho qui avait grimpé dans un sycomore afin de voir passer Jésus ; sa femme, Véronique, et lui avaient été conduits par un ange au nord des Pyrénées, dans l'Aquitaine, au lieu-dit le roc d'Amadour, où ils s'étaient installés.

Le roi s'étonnait bien un peu d'une telle affluence de personnages sacrés dans les terres d'Europe, mais il n'osait douter. Plus exactement, cela ne relevait pas de l'habituel départ entre les faits avérés et les fausses nouvelles. Faits avérés ou fausses nouvelles, c'était son lot à lui, puisqu'il était un chef, un roi d'ici-bas, attentif aux destinées de son royaume, et voulait savoir ce qui se passait ; il lui incombait de discerner dans les rapports qu'on lui faisait. Ces actions et ces événements-là, en revanche, qui se reliaient à ce que disent les saintes Écritures, se déroulaient sur un autre plan, dans une autre réalité, une autre histoire. En fin de compte, ces personnages étaient venus de si loin qu'on ne savait plus si c'était d'un pays ou d'un livre. Mais quelle importance ? Le livre, ce livre dont on lui donnait lecture, car il ne savait pas lui-même le déchiffrer, ce livre était un pays, ce livre était un monde, aussi réel, et même davantage, que celui qui s'offre chaque jour à notre vue, à notre toucher, à nos actions bonnes ou mauvaises. L'étable de Bethléem, l'annonce de Jean le Baptiste, l'eau changée en vin à Cana, la Passion, tout cela était plus vrai qu'un banquet, qu'une bataille, qu'un engendrement. C'était au-dessus, comme le ciel est au-dessus de la terre, et c'était lumineux comme il l'est pendant le jour, ou insondable comme il l'est pendant la nuit. Lazare et les Marie dans la Provence romaine, Joseph portant le sang du Christ dans les îles bretonnes, Zachée en Aquitaine, Jacques en Espagne, appartenaient à une histoire distincte et distante, mais la plus véridique. Ils étaient les témoins de la venue du Sauveur sur terre, ils baignaient dans la lumière de la Rédemption, ils la portaient sur ces rivages ; on ne s'en trouvait pas plus proche, mais on y était relié par un lien d'or. Le Sauveur était venu à l'orient, dans cette Galilée et cette Judée lointaines où lui, pauvre roi, n'était jamais allé : son universelle miséricorde s'étendait, grâce à ces personnages, jusqu'à l'autre extrémité de l'univers, où le soleil se couche – c'est-à-dire ici.

Et le soleil se couchait, certes ; mais ces hautes figures apportaient avec elles la lumière renaissante, comme elle renaît au cœur sombre de l'hiver. À la Nativité, elle n'est qu'une lueur et qu'un espoir ; après la Pâque, elle grandit et s'épand dans tout l'univers, éclairant l'approche de ces personnages bénis. Le pâtre et le bûcheron, dans leurs solitudes agrestes, en étaient rassérénés ; le soldat n'en plongeait pas moins son épée dans des ventres et dans des gorges, mais il en était ennobli. Les monts, les rivages, les forêts, toutes choses en étaient comme ondoyées dans la douceur de Jésus. Et lui-même, Alfonso, roi guerrier, lui qui prenait les armes, lui qui ordonnait quand il le fallait le saccage et la flamme, en était sanctifié. Le monde humain, la terre, cessaient de n'être faits que de travaux et de batailles, de sueur et de sang, de mains sales et de merde, de parturitions et d'agonies. Ces grandes présences invisibles épandaient le pardon et l'amour sur le troupeau désespéré de Caïn. Il y avait une Rédemption. On œuvrait en vue de quelque chose.

Alors, quand il écoutait les récits passionnés de Beatus, son esprit, son faible esprit, bronchait et trébuchait sur l'ignorance ; mais son âme robuste et noueuse entrevoyait qu'il fallait y croire, parce que cela couronnait d'or son action terrestre. Il régnait et combattait pour aplanir les chemins du Pasteur.

Alfonso mourut après dix-huit ans de règne, et Beatus aussi rendit son âme à Dieu, mais ses récits continuèrent d'être transmis. C'était comme si l'apôtre endormi depuis sept siècles faisait signe, et appelait à présent autour de lui tout son monde, ses ouailles. Ces montagnards, frères de l'aigle, de l'ours et du loup, sentaient, tout près d'eux dans le paysage, la présence de Jacques « Boanergès », prêt à surgir lui-même, resplendissant, armé d'une épée fulgurante comme l'éclair, pour les mener à la victoire.

D'étranges nouvelles, cependant, provenaient du camp des vainqueurs. Des marchands venus de leur lointain pays les annonçaient dans les ports ; elles circulaient sur les foires, puis parmi les terres. Il semblait que de graves querelles se fussent élevées en Orient. Les sectateurs de Mahom s'accusaient entre eux d'infidélité au Prophète. Des gouverneurs se rebellaient. On contait des histoires de coups de poignard et de massacres.

Enfin, un nouveau potentat avait surgi à Cordoue, détrônant le précédent. On l'appelait Abdéramane.

6

756 anno domini

Il était arrivé auréolé de récits terribles, comme baptisé de sang et brûlé par la lumière des déserts.

On le disait descendant des califes – ainsi les Sarrasins nommaient-ils leurs maîtres lointains, héritiers de Mahom – et promis à devenir maître à son tour. On disait que son père et toute sa famille avaient été massacrés par un rival. De quelles haines intestines, de quels complots cela était-il le fruit ? On l'ignorait. C'était si loin ; à peine connaissait-on le nom de Damas, la grande ville orientale où ces horreurs avaient eu lieu. Seul survivant du clan, Abdéramane avait fui vers l'occident, inlassablement poursuivi par les espions et les sicaires du nouveau maître. On disait que, durant cinq ans, il avait erré dans les solitudes de l'Égypte et de la Cyrénaïque, accompagné d'un unique serviteur et contraint à se cacher, à quémander l'hospitalité d'une tribu ou d'une autre ; mais que bien vite, ses hôtes le repoussaient, craignant à leur tour la vengeance du calife, à moins qu'il ne s'enfuît lui-même, redoutant d'être dénoncé et livré.

On disait, on disait. Et les dires se gorgeaient de légendes pour composer un personnage fantastique.

Mais ce que l'on savait, en revanche, c'est qu'il avait passé la mer aux colonnes d'Hercule, et trouvé, dans le sud de l'Espagne, des Maures demeurés fidèles à sa lignée. Les clans, la ville d'origine, les apparentements les plus lointains, comptaient en effet beaucoup parmi ses coreligionnaires, scellés par des serments et des inféodations que les générations conservaient. Des hommes titulaires de charges, d'influentes familles, des guerriers, n'hésitèrent pas à le rejoindre.

L'émir alors en poste était un homme faible et hypocrite, détesté des chrétiens et des juifs, méprisé des Sarrasins eux-mêmes. On avait eu tôt fait de le chasser, et Abdéramane était entré en triomphateur dans Cordoue.

Voilà ce qu'on disait parmi le peuple, et qui se répandait le long des chemins, de ville en ville. Pour le reste, c'étaient les affaires des maîtres, et que celui du moment fût lui ou un autre ne changeait en somme pas grand-chose à l'existence ordinaire.

Durant les années qui suivirent, on sut qu'il s'était fait édifier un palais tout semblable à celui de son enfance ; et qu'il y avait fait apporter de l'Orient des arbres inconnus sur ce sol, qui lui rappelaient son pays.

Et l'on disait encore bien d'autres choses : qu'il se vêtait de blanc et vivait dans l'ombre, car ses yeux avaient été blessés par le soleil furieux du désert. Et qu'il était cruel et implacable, qu'il soupçonnait ses meilleurs serviteurs et parfois les tuait de sa main ; qu'il témoignait d'un orgueil sans bornes et exigeait que son nom fût prononcé dans la prière du vendredi.

On disait enfin que parfois il pleurait, seul, sur son pays perdu, et qu'il exprimait son deuil dans des poèmes qu'il composait.

On ne le connaissait pas, en somme, et, comme on ne le connaissait pas, il faisait peur.

Abdéramane lui-même savait ce qu'on disait de lui : ses espions et ses mouchards le lui rapportaient. En un sens, il se réjouissait d'être un mystère : le pouvoir doit être imprévisible, et les sujets toujours inquiets. Mais en un autre sens – et secrètement –, il en souffrait.

Les autres avant lui, son peuple, étaient venus nombreux, au temps de Tariq et de Moussa. Ils s'inscrivaient dans la conquête des pays, il n'y avait eu, entre eux et les premiers guerriers de l'Islam, aucune rupture. Lui ne pouvait plus en dire autant. Le lien avait été brisé par le massacre inexpiable de Damas. Il n'avait plus d'autre allié que lui-même : si le calife le pouvait, il le ferait tuer. Cette certitude l'accompagnait et l'accompagnerait tout au long de sa vie. En même temps, rebelle aux yeux des siens, et toujours menacé, il était, aux yeux de ce pays sur lequel il régnait maintenant, un étranger. Et cela accroissait sa douleur.

Il y songeait, souvent, en se promenant seul dans ses jardins. Il jouissait sombrement de ces méditations solitaires. Des sentinelles veillaient dans les tourelles des murs. Il était protégé de tout par une distance qui le rendrait sacré. Il songeait, donc.

Ils ne me connaissent pas. Ces chrétiens et juifs qui courbent la tête, résignés d'apparence (d'apparence seulement peut-être), ne me connaissent pas ; paysans, artisans, marchands, guerriers wisigoths à qui la défaite n'a laissé qu'un vain orgueil, plus âpre d'avoir été humilié : ils ne me connaissent pas.

Mais les autres, ceux qui étaient d'Islam, tous ces administrateurs et gouverneurs, ces walis, cadis et hadjibs, ces officiers, ces chefs de clan, le connaissaient-ils davantage ? Et lui, le connaît-il, ce pays d'Al-Andalus sur lequel il a jeté son dévolu ? Non ; ces forêts, ces monts, ces rivières selon la saison maigres ou torrentueuses, ces cités où subsistent les constructions et la langue des roumis, tout cela lui est étranger ; et tout cela lui crie muettement qu'il est lui-même un étranger. C'est le nom qu'on lui donne, d'ailleurs, l'Étranger, ou encore l'Exilé, dans un mélange de compassion et de dédain que la crainte qu'il inspire n'empêche pas de luire dans les regards, de sourdre des murmures.

Dieu, certes, le Puissant, le Miséricordieux, l'a soustrait à ses ennemis et lui a livré un royaume. Dans un de ses poèmes, il a rendu grâce – car il écrit des poèmes, comme toute sa race avant lui depuis les temps d'avant le Prophète :

Je suis venu mort de faim, mis en fuite par les armes.
Fugitif de la mort, j'ai traversé le désert et franchi la mer,
Passant sur les champs et les vagues...

Oui, ce pays est entre ses mains et lui obéit. Et certes, il en retire de la joie, une sombre joie, conquise au prix de la souffrance et de l'angoisse – une joie qu'il détient seul, qui est son trésor secret. Du passé, des souffrances, de la longue errance, des victoires, se compose l'ombre où il aime à séjourner, silhouette blanche que guettent, furtifs, secrétaires et serviteurs, alertés au moindre mouvement.

Mais à cette joie se mêle l'amertume. Qu'il est terrible, ce moment, où tout à l'intérieur de l'homme se mue en tristesse ! C'est comme une eau qui se trouble. Ne subsiste plus alors que le sentiment de la solitude. Le maître redouté est un orphelin. Il découvre ce besoin de l'homme : être approuvé, être aimé. Désormais il n'y a plus d'amour ni derrière lui ni devant. Ni dans le passé ni dans l'avenir. Derrière lui, il y a des morts, et devant lui, des étrangers indifférents, sinon hostiles. Depuis combien de temps n'a-t-il plus été aimé ? Son orgueil souffre quand il s'éprouve soumis à cette question enfantine. Mais il lui est soumis pourtant... On est aimé un peu, brièvement, dans l'enfance. Et puis un jour, on découvre n'avoir le choix qu'entre être redouté ou être piétiné. Toute protection s'efface, et l'on se retrouve face à un monde grimaçant, haineux, semé d'embûches. C'est le temps des serpents et des hyènes, c'est le temps venu de savoir ce qu'est l'espèce humaine... Voilà la seule leçon que lui a donnée la vie, la seule philosophie qu'il en a retirée. On ne doit compter sur aucune fidélité, sur aucune tendresse. C'était un conte d'enfance. Les enfants, on leur ment, peut-être pour ne pas les décourager de vivre. La première et la plus définitive certitude que doit se forger un être humain est celle de l'indifférence quasi générale qui l'entoure, du début à la fin. *Personne ne te veut, personne ne t'attend; tu n'auras de place que celle que tu conquiers.* Tous ces peuples qu'il gouverne, ceux d'Islam et les autres, pour autant qu'ils sachent ce qu'il a vécu, peuvent-ils le comprendre ? Et pourquoi se soucieraient-ils de ses deuils, de ses souffrances, de ses combats ? Déjà bien beau qu'ils n'entreprennent pas de comploter sa chute... Quand certains l'ont entrepris, il a frappé, impitoyablement. Il a frappé au cœur même de son palais. Il a tué lui-même. Un ministre soupçonné de traîtrise a eu les pieds et les mains coupés, avant qu'on ne l'achève à coups de gourdin. Un millier de soldats yéménites, dont il n'était pas sûr, ont été exécutés. Il a dû également purger son royaume des gouverneurs qui avaient fait allégeance au calife Abu al-Abbas, le bourreau de sa famille. Des têtes tranchées, plongées dans de la saumure, ont été tout spécialement expédiées à ce traître, à cet imposteur sanglant. Plus tard, un marchand qui revenait de là-bas lui a confié qu'Abu al-Abbas, épouvanté par ce présent, s'était exclamé en parlant de lui : « Loué soit Dieu qui a mis la mer entre ce démon et moi ! » Abdéramane a ri de ce propos. Mais il en a ri seul, à l'abri de tous les regards, comme quand il pleure.

Car voilà la première règle qui s'impose à celui qui veut être le maître : que l'emporte en lui le chagrin ou la jouissance, il n'en doit rien laisser paraître. Tout aveu, toute manifestation d'un sentiment, quel qu'il soit, l'affaiblirait. Il est contraint à l'impassibilité. On ne doit pas savoir ce qu'il pense et ce qu'il ressent.

Et il lui faut maintenir la peur comme un glaive levé. Berbères, Syriaques, Yéménites ; juifs et chrétiens ; gouverneurs de villes, généraux... Tout cela ne demande qu'à s'éveiller, qu'à s'agiter. Et il doit s'en préoccuper même s'il n'y en a aucun signe : la deuxième règle du maître, c'est de soupçonner. Ses fils eux-mêmes, aujourd'hui, guettent sa fin et se jalousent : Suleyman, le fils qu'il a jadis sauvé avec lui du massacre, et l'autre, Hisham, celui qu'il a conçu depuis d'une chrétienne capturée dans le nord du pays.

Car en outre les chrétiens sont là, toujours là, dans le nord de son royaume. Il y a ce roitelet chrétien, Alfonso, retranché dans ses montagnes, qui continue à le défier ; et puis, par-delà les Pyrénées, il y a le roi des Francs, dont la menace est plus puissante encore. L'un comme l'autre sont ses premiers et plus dangereux ennemis.

Il pense à eux, il y pense beaucoup. Et il y pense (mais cela aussi fait partie des sentiments qu'il lui faut enfouir au plus profond de son cœur) avec envie et jalousie. Ils sont sur leurs terres, ceux-là, tandis que lui est en exil, et ils ont leurs morts avec eux, dans des chapelles, sous des dalles de pierre, alors que ses morts à lui, où sont-ils ? Jetés sans doute par l'usurpateur aux oiseaux et aux chiens du désert ! Il sait qu'Abu al-Abbas n'a pas borné sa fureur aux vivants : il a fait exhumer Hisham, dixième calife, son ancêtre, et ordonné de crucifier le cadavre !

Étrange chagrin, mais puissant, que de se sentir privé de ses morts. On ne sait pas qu'on a besoin de ses morts ; on ne sait pas que leur absence est encore une présence ; on ne le comprend que lorsqu'ils sont définitivement perdus.

Il pense à Dieu, aussi, bien sûr. Il accomplit les rites et les prières, il veille à leur observance. Dieu a fait savoir ce qu'il voulait, et sa volonté est au-dessus de tout le reste. Mais si Dieu a voulu que l'homme fût soumis, il n'a pas voulu qu'il fût heureux.

Ses yeux douloureux contemplent les arbres apportés de là-bas, exilés comme lui : hauts troncs écaillés d'où fusent et s'épanchent, en mol éventail, les grandes palmes vertes ; et, plus courts et touffus, ceux qui s'ornent de fleurs rouge sang et donnent ces fruits juteux que les roumis appellent *granatas* en raison des pépins dont regorge leur chair. À l'un de ces arbres, le premier qu'il a fait planter, un palmier, il a dédié un de ses poèmes :

Comme moi tu as crû sur la terre étrangère,
Comme moi tu vis dans le lieu le plus éloigné du monde.
Que les nuées de l'aube te concèdent la fraîcheur,
Et que te consolent les abondantes pluies !

Il les contemple, ses arbres, et les souvenirs montent : le palais d'Al-Rusafa, près de l'Euphrate, ses jardins, ses eaux, ses oiseaux, ses fleurs. Sa jeunesse choyée s'y est adonnée à la musique, à la poésie, à l'amour. C'était insouciant, c'était idyllique. Prince, du sang d'Omeyya, l'oncle du Prophète, il y a atteint ses vingt ans sans qu'il lui fût même possible d'imaginer que tout cela pouvait lui être arraché. Sa dynastie pendant un siècle avait gouverné l'empire. Comment aurait-il pu prévoir que la discorde se réveillerait, et que l'issue en serait si brutale et violente ?

Badr, l'affranchi grec qui aux pires moments lui est demeuré fidèle, avait tout appris de l'histoire des siens, et la lui avait contée en détail. Il connaissait tout, Badr, tout, depuis le temps du Prophète.

Abdéramane se souvient de ces récits qu'il lui a tant de fois fait redire. Et maintenant qu'il est l'Exilé, l'Étranger, il ressasse jusqu'à l'obsession, et vainement, l'histoire de cette gloire déchue.

7

Orient, six ans plus tôt

Jérusalem était tombée, Persépolis était tombée ; la Cyrénaïque, l'Égypte, l'Ifriqiya s'étaient couchées sous l'ombre de la main d'Allah. On s'aventurait désormais, ayant appris l'art de conduire les nefs, sur la mer romaine et vers les îles ; Constantinople tremblait. Ce furent les temps glorieux. Allah et le Prophète avaient donné toutes les victoires à ceux qui les avaient suivis.

Mais dans le même temps, la foi commune, l'observance des préceptes, ces vertus qui avaient permis aux fidèles de connaître l'ivresse des victoires et des conquêtes, n'avaient pas empêché que surgissent bien vite les querelles.

Les humbles Bédouins du désert s'étaient peu à peu sentis méprisés par les riches familles des villes. Les cités saintes, Médine et La Mecque, les villes originelles où pour la première fois avait retenti la voix de Muhammad, s'étaient senties délaissées par la nouvelle capitale, Koufa, érigée plus au nord afin de mieux contrôler les pays soumis. Puis c'était entre musulmans de vieille souche et nouveaux convertis qu'avaient éclaté des dissensions. Plus étaient vastes et divers les pays et les peuples entrés en Islam, plus les intérêts divergeaient, et plus ils se sentaient étrangers les uns aux autres.

Et Abdéramane s'était de longue date persuadé que seule sa lignée avait été capable, en dépit de toutes les convulsions, de maintenir la sunna et l'oumma, la tradition et l'unité.

On avait tôt disputé pour savoir qui était légitime à succéder au Prophète. Abu Bakr, qui n'était qu'un simple compagnon de Muhammad, avait été proclamé le premier calife, le successeur, en lieu et place d'Abbas ou d'Ali, lesquels appartenaient à sa famille ; beaucoup s'en étaient offusqués. Il fut assassiné. Lui succéda Omar, qui entra le premier dans Jérusalem et reçut sa reddition : il fut assassiné par un chrétien. Vint ensuite Utman. Mais celui-ci fut accusé de favoriser son clan et sa clientèle par l'octroi d'argent, de terres ou de hauts postes. Il fut assassiné. Lui succéda Ali, qui était cousin du Prophète, mais bientôt il fut soupçonné d'avoir organisé le meurtre d'Utman. Il fut assassiné...

Ainsi la succession du Prophète avait-elle été jalonnée de crimes. La discorde était à l'œuvre dans la communauté des croyants comme la fièvre dans un corps ou la folie dans une âme. Roumis et Perses croient en un dieu du mal, un *daïmon*, qu'ils appellent le Diviseur. Ils reconnaissent ainsi à leur façon l'existence d'Iblis, le maudit, le désespéré, ce djinn monstrueux dont le Prophète a parlé. Il ne décolère pas contre l'œuvre de Dieu, il souffre de ne savoir faire que le mal ; alors il le fait, d'autant plus rageusement.

C'était le gouverneur de Damas, Muawiya, qui avait mené la rébellion contre Ali. Muawiya appartenait au clan des fils d'Omeyya, lequel avait été l'oncle du Prophète. Muawiya était l'ancêtre d'Abdéramane. La division entre les partisans d'Ali lui permit de l'emporter ; Ali fut poignardé par l'un des siens, qui le jugeait trop enclin à négocier et à pactiser avec ses accusateurs. Ainsi, celui qui à n'en pas douter avait porté le fer, périssait par le fer.

Ali disparu, Muawiya n'eut plus de rival, et, pendant près d'un siècle, tous les califes furent de sa lignée.

Voilà ce qui était, encore aujourd'hui, dans le cœur d'Abdéramane, comme une plaie. Qui, sinon les descendants d'Omeyya, avait rétabli l'unité ? Qui, un peu plus tard, avait écrasé la sédition d'Hussein ? Qui avait étendu le califat jusqu'à Boukhara et Samarkand, les anciennes provinces orientales de l'Empire perse ? Qui, en direction de l'occident, avait établi sa puissance en Égypte, dans l'Ifriqiya puis l'Hispanie romaine ? Qui avait fondé Fustât et Kairouan ? Qui avait bâti dans Jérusalem des mosquées dépassant en splendeur les églises des roumis ? Qui avait poussé des navires jusqu'à Chypre, jusqu'à la Sicile, jusqu'au pied des murs de Constantinople ? Grâce aux fils d'Omeyya, et à eux seuls, l'empire d'Islam, aussi puissant sur la mer que sur terre, égalait et supplantait les empires anciens. Et voilà que tant de bienfaits, ils les avaient payés de leur sang...

Ils avaient transféré leur capitale à Damas, édifiant de vastes palais parmi les marchés abondants, les frais cours d'eau, les promenades verdoyantes. De là, ils avaient organisé l'empire, nommé des gouverneurs dans chaque province, implanté partout les *diwan* de l'impôt, de la monnaie, de la poste, des tribunaux. Juifs et chrétiens s'étaient la plupart du temps soumis de bonne grâce, ayant compris qu'ils conserveraient une place dans le négoce, l'administration, l'instruction, dont ils connaissaient tous les secrets.

De tant de victoires, de splendeur, de sagesse, Abdéramane se redit inlassablement la chronique avec une amère délectation. Il s'efforce d'imaginer ces temps heureux ; il voudrait revivre dans l'âme et le corps des ancêtres, il voudrait avoir été chacun d'eux.

Cependant l'œuvre de désunion continuait. On accusait maintenant volontiers les califes et leurs proches d'oublier la religion, de n'être plus que des potentats vautrés dans les richesses. On alla jusqu'à prétendre qu'un prince de la famille califale, voulant s'exercer au tir à l'arc, avait utilisé le livre du Coran en guise de cible ! Aucune calomnie ne paraissait de trop.

Les partisans d'Ali et d'Hussein, vaincus, n'avaient pas désarmé. Ils maudissaient la race omeyyade, invoquant encore et toujours les noms d'Abbas et du premier Ali, les proches parents du Prophète. Ils firent enfin courir une rumeur selon laquelle un imam caché attendait son heure, et surgirait pour rétablir la pureté des origines. Cette invention connut un grand succès populaire. Tous les mécontentements, toutes les frustrations, toutes les misères se consolaient à la pensée que cet être béni de Dieu allait paraître...

Il parut en effet. Il se dévoila dans la mosquée de Koufa, où il fut acclamé. Il se nommait Abu al-Abbas.

Abdéramane avait vingt ans lorsque cette nouvelle sédition se produisit. Le moment en avait été judicieusement choisi. Les troupes régulières étaient occupées en divers points de l'empire. On ne put mobiliser contre l'usurpateur qu'une armée insuffisante en nombre. Abu al-Abbas parvint à réunir suffisamment de partisans pour l'affronter et la disperser. Puis il marcha sur Damas, et, devinant le désarroi du calife Marwan, lui fit savoir qu'il était prêt à le rencontrer pour envisager une réconciliation. Marwan, se voyant sans soutiens, accepta de se rendre à un banquet offert par le rebelle, accompagné de tout le clan omeyyade. Mais une fois les invités réunis autour des tables, des soldats cachés à l'entour les encerclèrent et, sur un signe d'Abu al-Abbas, massacrèrent tout.

On dit qu'ensuite ils burent, mangèrent et chantèrent parmi les cadavres, sur lesquels ils posaient les pieds.

Abdéramane, par chance, ne s'était pas trouvé là. Il parvint à s'enfuir avec son frère et ses deux sœurs, son fils Suleyman qui avait quatre ans, et Badr, son précepteur grec.

Mais la haine de l'usurpateur était sans bornes. Il redoutait par-dessus tout qu'un survivant du clan détruit pût un jour revenir et revendiquer ses droits. Il lança ses soldats sur les traces des fugitifs.

Abdéramane se souvient d'un épisode atroce. Il a fallu franchir une rivière. Son jeune frère s'est attardé sur la rive, hésitant à se lancer dans l'eau avec sa monture. Malgré les objurgations d'Abdéramane, qui assiste à la scène depuis la rive opposée, l'appréhension le tient cloué au bord de l'eau. Les soldats du tyran surgissent. Ils l'entourent, le jettent à terre. Un poignard brille. Impuissant, Abdéramane voit périr son frère. Il faut fuir, parmi les pleurs et les cris horrifiés de l'enfant et des deux femmes.

Ainsi a commencé pour lui le temps de l'exil, et d'une haine patiente qui ne pourra pas avoir de fin.

Cinq années. Pendant cinq années, il a cherché refuge de tribu en tribu, quémandant des hospitalités qui ne duraient guère. On l'accueillait à contrecœur ; les chefs locaux redoutaient la colère du calife ; on finissait par le chasser. Il se souvint enfin que sa mère était issue d'un clan berbère de la Maurétanie, dont le chef l'avait offerte au calife pour l'ornement du harem. C'est en son nom qu'il y fut accueilli, non loin de Ceuta.

Mais il se sentait encore vulnérable. Cette protection durerait-elle davantage que les autres ? Il rêva alors d'interposer la mer entre son ennemi et lui. Le fidèle Badr fut envoyé en Hispanie, que les Wisigoths appelaient *landa-lauts*, « la terre obtenue en partage », et les siens, Al-Andalus. Il en revint quelques semaines plus tard, apportant à son maître inquiet, qui redoutait déjà une nouvelle trahison, des nouvelles qui restauraient l'espoir : un grand nombre de gens là-bas étaient demeurés fidèles à la lignée anéantie. Le massacre perpétré par Abu al-Abbas, que l'on surnommait désormais Al-Saffah, « le Sanguinaire », et qui se faisait gloire de ce qualificatif odieux, avait révolté les consciences. La rumeur s'était répandue de la fuite et de la survie d'Abdéramane. On l'attendait ; des sympathies, des énergies, des dévouements se tenaient prêts.

La situation du pays semblait également favorable. On avait eu à souffrir de sécheresse et d'épidémies. Le gouverneur en fonction s'était montré faible, hésitant, incapable de réagir et de venir en aide à la population. On attendait un renouveau.

Ainsi averti, Abdéramane débarqua sur la plage pierreuse d'Almuñecar. Ses premiers partisans furent des Syriens venus autrefois de la région du Jourdain ; ce furent ceux-là qui le proclamèrent émir dans la mosquée voisine d'Archidona. Il entra peu de jours plus tard dans Cordoue, dont la garnison locale, maigre en effectifs, n'avait pas véritablement cherché à assurer la défense. À la tête du cortège, il avait tenu à déployer un étendard blanc, au lieu de l'étendard noir qui était d'ordinaire la marque du calife.

Depuis lors il défend, majestueux et triste, ce domaine qu'il s'est taillé pour survivre. Sa vigilance ne connaît aucun répit. Souvent, le soir, quand le sommeil commence à le gagner, il croit voir des silhouettes menaçantes s'agiter à l'entour dans l'ombre : il se réveille et se dresse, le cœur battant. Il lui faut longtemps pour retrouver le calme. Oui, Al-Andalus est son refuge, mais qu'est-ce qu'un refuge où l'on a encore peur ? Qu'est-ce qu'un refuge qui demeure un exil ?

Les années ont passé sans alléger ce fardeau. Il se sent pareil à un cuir durci et craquelé ; à un tapis trop piétiné dont on voit la trame. Là-bas, dans l'Orient lointain, le calife Haroun, quatrième successeur de l'assassin Al-Saffah, et qui se plaît à être appelé Al-Rachid, « le Sage », poursuit d'une haine inaltérée celui qui a arraché Al-Andalus à son obédience. Il n'a pas manqué de faire savoir qu'il ne renonçait pas à le soumettre. Ses espions ont parcouru les villes, et plusieurs, parmi les gouverneurs et les chefs de l'armée, ont sans doute déjà pensé qu'il pourrait être prudent de lui faire secrètement allégeance, afin de ne pas encourir plus tard une vengeance impitoyable. C'est pourquoi il faut à Abdéramane vivre dans le soupçon, toujours, toujours. Le soupçon est un appui, comme le bâton pour le vieillard.

Il y a eu pire encore : dans l'espoir d'affaiblir Abdéramane, Haroun « le Sage » n'a pas hésité à entrer en commerce avec Charles, le roi des Francs, le roi chrétien.

8

Ainsi songeait Abdéramane, en son autorité jalouse et solitaire. Mais pendant ce temps les rois asturiens, eux aussi, tournaient les yeux vers le royaume des Francs.

C'était un très puissant royaume, qui s'étendait depuis les Pyrénées jusqu'aux mers froides ; on ne savait même pas quels en étaient les confins au septentrion et à l'est. Et Charles était un très considérable monarque. Dès le début de son règne, il avait démontré sa valeur guerrière au cours de deux descentes en Italie, où il avait maté les Lombards, qui tracassaient son ami l'évêque de Rome. Les Lombards étaient pourtant de véritables chiens de guerre ; ils n'aimaient que ça. N'empêche que leur roi, Didier, avait dû se soumettre, et Charles avait coiffé la couronne jadis offerte par le pape Grégoire à la reine Théolinda – une grande reine, celle-là, qui s'était efforcée (sans y réussir toujours) d'amener ce peuple de brutes à la paix et à la douceur.

Cette couronne était formée d'un cercle de fer que l'on avait forgé avec un des clous de la croix du Christ ; on avait fixé tout autour des plaques d'or ornées d'émaux et de pierres précieuses. Qu'elle fût à présent déposée sur la tête du roi franc disait assez qui était désormais le protecteur de la chrétienté, son bras armé, son bouclier, son glaive.

Charles avait ainsi étendu sa puissance au sud des Alpes, sur la vieille Italie romaine, mais les Lombards n'avaient été qu'un ennemi momentané, et pour tout dire accessoire. Charles voyait plus loin et se méfiait des Sarrasins, qui n'étaient pas seulement en Espagne, mais avaient pris pied en Sicile. C'étaient des ennemis sérieux dont l'ambition, il le savait, n'avait pas de bornes. Ils avaient jadis ravagé le territoire franc jusqu'à Poitiers à l'ouest, jusqu'à Autun à l'est. Son ancêtre, également nommé Charles et surnommé « le Martel », les en avait chassés. Pépin, le père de Charles, leur avait ensuite repris la Narbonnaise. Mais ils demeuraient à ses yeux un péril, face auquel il fallait se montrer vigilant.

Le calife Haroun savait parfaitement tout cela. Il regardait les tables géographiques héritées des Romains, il interrogeait tous les voyageurs, et il devinait que Charles pouvait se laisser persuader de franchir les Pyrénées. Il se disait que, si le roi des Francs l'aidait à jeter bas l'émir Abdéramane, il n'y aurait pas grand inconvénient à lui céder en récompense, dans le nord de l'Hispanie, quelques territoires qui consolideraient son empire et le rassureraient. Ce serait, pour tous deux, un gage de stabilité.

Haroun savait aussi que certains, dans l'émirat de Cordoue, ne s'étaient résignés qu'à contrecœur à la prise de pouvoir par Abdéramane. Il ne fut pas difficile de les repérer et de les actionner. L'an 155 de l'hégire (an 777 du Christ), Suleyman, gouverneur maure de Saragosse, ayant reçu d'Haroun un message qui l'y autorisait, s'en fut à la rencontre du roi Charles, qui séjournait alors dans sa résidence de Paderborn. Il rendit hommage à sa majesté, à sa grandeur, à sa puissance, et lui fit savoir que, s'il surgissait, Saragosse, mais peut-être aussi Pampelune, excédées par la tyrannie de l'émir, se soumettraient volontiers à lui.

C'était pour Charles l'occasion de parachever l'œuvre de ses prédécesseurs, en établissant entre les Sarrasins et lui quelque principauté vassale, qu'il confierait aux mains d'un duc ou, pourquoi pas, au petit roi des Asturies.

Par ailleurs, et pour d'autres raisons, son orgueil ne dédaignait pas de s'entendre avec le calife Haroun, que les juifs et les chrétiens, familiers de la Bible, appelaient Aaron. Il avait lui aussi ses renseignements sur ce grand prince des Sarrasins, qui vivait dans la magnificence d'une lointaine capitale, Bagdad. Or, Charles s'estimait toisé d'un peu trop haut par les empereurs de Constantinople. Ces derniers affectaient toujours, depuis Clovis, de considérer les rois francs comme étant à leur service ; lorsque ceux-ci montaient sur le pavois, la métropole ne manquait pas de leur envoyer des diplômes et des insignes leur confirmant qu'ils étaient « consuls » ou « patrices » romains. L'empereur feignait de croire que les Francs étaient ses dévoués serviteurs ! La capitale orientale se complaisait, avec une vanité ridicule, dans cette idée de sujétion qui depuis longtemps n'avait plus aucun rapport avec la réalité. Dans ces conditions, traiter pour ainsi dire d'égal à égal avec le calife mahométan (par ailleurs si éloigné qu'il ne constituait aucun danger direct), paraissait à Charles une manière de braver Constantinople en la contournant, et de se grandir à ses propres yeux.

Ainsi, assuré que le calife n'y mettrait pas obstacle, décida-t-il d'agir en Hispanie. L'année qui suivit la visite de Suleyman, lorsque revint la saison des expéditions militaires, il fit de son armée deux parts. L'une franchit les Pyrénées du côté de la mer romaine ; l'autre à l'opposé, vers l'occident, par le col de Roncevaux ; elles se rejoignirent dans la vallée de l'Èbre et marchèrent sur Saragosse. Il comptait, ainsi qu'on le lui avait assuré, non seulement sur l'appui des populations chrétiennes, mais encore sur la passivité des Maures lassés d'obéir à l'émir Abdéramane.

Il survint pourtant un mauvais présage : à la première étape de l'ost au-delà des Pyrénées, nul ne parvint à enfoncer dans le sol la hampe du drapeau franc. Les devins dont s'entourait le roi Charles dirent unanimement que ce n'était pas de bon augure, mais on passa outre, et on marcha sur Saragosse.

Malheureusement, Suleyman avait parlé un peu vite : la ville, contre toute attente, résista. C'était étrange, puisque beaucoup de ses habitants étaient chrétiens. Mais à l'évidence, ils hésitaient à changer de maître. Rien ne les assurait que la protection de Charles durerait longtemps ; la prudence recommandait, sinon de demeurer soumis et fidèles à l'émir de Cordoue, au moins d'en avoir l'air, car la terreur qu'il inspirait était grande.

Saragosse était toujours entourée d'anciennes et fortes murailles. La cavalerie et l'infanterie franques, quasi invincibles dans les batailles à champ découvert, manquaient de machines de siège. Les jours passèrent. L'armée s'énervait devant ces murs, qui l'humiliaient. Là-dessus, des messagers avertirent Charles que les Saxons recommençaient à s'agiter. Et c'était à l'autre extrémité de son royaume !

Il conçut une amertume grandissante de s'être laissé entraîner dans cette équipée. Il se sentait comme un voyageur aventuré en pays lointain, soudainement pris d'inquiétude pour le domaine qu'il a laissé derrière lui et les désordres qui peuvent y survenir en son absence. Dépité, mais prudent, il leva le siège, et passa sa colère en faisant piller et ruiner au passage la ville de Pampelune. On regagnait la Francie.

Mais la malchance le poursuivait. Lorsque l'armée eut repassé le défilé de Roncevaux, son arrière-garde, que commandait le comte Roland, l'un de ses plus fidèles et valeureux chefs militaires, fut attaquée par les Vascons. Ces montagnards, bizarres et orgueilleux, n'obéissaient jamais qu'à eux-mêmes, et ils détestaient les Francs pour une raison bien simple : ils ne leur avaient jamais pardonné les humiliations que leur avait fait subir, au siècle précédent, le roi Dagobert, qui les avait taillés en pièces et contraints à venir lui faire allégeance jusque dans sa résidence de Paris. Ils connaissaient à merveille les pentes, les failles, les adrets et les ubacs de leurs montagnes. Ils ne firent de la troupe franque qu'une bouchée. Charles pleura Roland, mais comprit le message de la divine providence : elle l'avertissait qu'il n'aurait jamais rien à gagner en pays hispanique.

Les Asturiens, quant à eux, avaient considéré ces mouvements avec intérêt : ils avaient toujours espéré qu'un puissant allié chrétien leur viendrait du nord, pour seconder les desseins auxquels ils n'avaient pas renoncé.

Cela faisait alors un demi-siècle qu'ils tenaient bon. Ils en étaient à leur neuvième roi depuis le fondateur Pelayo. Ce neuvième roi s'appelait Alfonso, deuxième du nom, et on le surnommait « le Chaste », parce qu'en raison d'un vœu mystérieux il s'abstenait de toute fornication avec sa femme.

Il se sentait à l'étroit dans ses montagnes ; il avait pris pour capitale la ville d'Oviedo et continué vaillamment le combat, franchissant le fleuve Duro, écrasant les Maures du côté de l'Aragon, et parvenant enfin aux rivages de la mer occidentale, dans l'ancien pays des Suèves.

Il vit avec regret les Francs abandonner la partie ; il aurait considéré comme bienvenue une alliance, que personne n'eut le temps de conclure. Il faudrait y travailler de nouveau à l'avenir.

Charles retourna combattre dans la Germanie saxonne. Son royaume était immense et toujours menacé de toutes parts. Il ne se passait point d'année qu'il ne dût partir au combat ; Saxons, mais aussi Bavarois, Hongrois, Avars connaissaient le tranchant de son épée. D'innombrables victoires le consolèrent de son échec devant Saragosse.

Mais il n'oubliait rien, et Abdéramane, d'ailleurs, ne se laissait pas oublier. En représailles de l'expédition contre Saragosse et du saccage de Pampelune, il manigança de nouvelles attaques contre la Narbonnaise et la Provence. Ce qu'il cherchait n'était pas difficile à deviner : s'il mettait la main sur Marseille et le littoral (il avait déjà saccagé les îles de Lérins), il s'assurerait le contrôle de cités portuaires fécondes en impôts, et pourrait même, de là, diriger ses coups vers l'Italie.

Charles le comprit aussi de son côté, et pensa qu'il avait fait erreur en s'avançant vers Saragosse, au cœur des terres, dans un pays hostile et qu'il connaissait mal. L'adversaire avait raison, et par ses attaques lui désignait l'enjeu : c'étaient les rivages de la mer romaine qu'il fallait contrôler et défendre.

Quelque vingt ans après la première expédition, il assembla ses chefs militaires et leur conta un rêve qu'il avait fait. Un envoyé de Dieu lui était apparu, lui enjoignant de ne pas oublier l'Hispanie. Cet envoyé, dit-il, n'était autre que l'apôtre Jacques en personne – ses devins, et plusieurs évêques, le lui avaient confirmé. L'apôtre déplorait d'être abandonné dans une tombe lointaine, oubliée des hommes, et exhortait le plus grand roi chrétien à seconder les efforts des braves Asturiens, qui seuls la défendaient.

L'année suivante, les Francs prirent Barcelone.

On était en 801 *anno domini*. Charles était au sommet de sa gloire. Il n'était plus seulement roi des Francs, il portait le titre d'empereur, que le pontife romain lui avait conféré le jour de Noël de l'année précédente. Le calife Haroun, depuis Bagdad, lui envoyait des messages d'amitié et des présents : une clepsydre dont le goutte à goutte, au moyen d'un merveilleux mécanisme, comptait les heures jour et nuit sans se tromper ; et puis un éléphant, débarqué à Port-Vendres et qui fit le voyage jusqu'à Aix-la-Chapelle, à l'ébahissement des populations.

Quant à Alfonso II, roi des Asturies, il appréciait que se fût ainsi établi, au sud des Pyrénées, et d'une mer à l'autre, un chaînage de principautés chrétiennes.

Ce fut en ces temps que Théodomire, évêque d'Iria Flavia, vint le voir et l'informa de faits mystérieux. Un ermite retiré dans les solitudes galiciennes, et qui portait le nom de Pelayo, comme le fondateur du royaume, affirmait que des anges lui avaient indiqué où se trouvait la sépulture de l'apôtre Jacques. Les paysans d'un village voisin disaient, quant à eux, avoir vu à plusieurs reprises une lumière inexplicable se former au-dessus d'un certain point de la campagne. C'était au même endroit.

Le roi Alfonso ordonna de creuser.

Deuxième partie

Renovatio imperii

1

Monastère de Seligenstadt, année 830 du Christ

Parfois, au soir, le roi Charles s'exerçait à écrire. J'ai assisté à cela bien des fois. Il avait fait disposer dans sa chambre un stylet et des tablettes enduites de cire, et, tandis que se poursuivait la conversation avec ceux qu'il avait choisis pour veiller près de lui (et j'étais souvent de ceux-là), il s'efforçait de tracer des lettres, un peu comme un enfant.

Ces tentatives n'allèrent jamais bien loin, et je pense que c'est parce qu'il les avait entreprises dans un âge trop mûr. Les enfants, dont l'humeur nous apparaît pourtant si futile et changeante, si peu propre à s'appliquer longtemps à la même tâche, acquièrent des connaissances, pour peu qu'on les leur présente de manière adéquate, avec une célérité que l'âge, ensuite, compromet et diminue. Sans doute l'esprit, avec les années, s'est-il chargé d'empreintes, de soucis, au point de devenir comme un coffre trop lourd. Peut-être est-il semblable à un cheval de trait qui avance fièrement quand le fardier est vide, mais qui, une fois qu'on y a hissé le chargement de bois ou de pierre, courbe l'encolure et doit mobiliser toute la force de ses jambes.

J'ai recueilli et conservé une de ces tablettes, où le roi s'était contraint à graver CAROLUS REX FRANCOR... Je l'ai sous les yeux, je l'ai bien souvent étudiée ; c'est étonnant comme la présence physique de celui qui a écrit semble se déduire, se déployer à partir d'une telle trace. On voit que la main, actionnée par la forte volonté initiale, a fermement (un peu trop) appuyé sur CAROLUS. Parvenu à REX, le geste semble déjà moins convaincu. FRANCOR..., enfin, divague : le premier R n'est pas achevé, le O est plus petit que le reste, et pas très rond ; le mot (FRANCORUM) est demeuré incomplet : et on comprend alors que la main s'est lassée en même temps que celui à qui elle appartenait.

La seule vue de cet objet fait resurgir dans mon esprit ces moments lointains comme s'ils dataient d'hier. Je le vois. L'effort le crispait ; il s'interrompait, il secouait son bras comme pour se délivrer d'une crampe, puis il soupirait et reposait près de lui tablette et stylet. Mais dans cet aveu même d'échec se révélaient l'excellence et la noblesse de son âme. Tout autre, en effet (surtout de race ancienne et royale), se découvrant malhabile à cet exercice, eût affecté de le mépriser, et s'en fût détourné comme d'une besogne indigne de lui. Rien de tel avec le roi Charles : l'orgueil n'intervenait pas en lui, et c'est cela qui était beau. Non seulement REX FRANCORUM, roi des Francs, mais paré du titre d'IMPERATOR AUGUSTUS, que lui avait conféré le pontife Léon III, et loué de son vivant déjà sous le nom de Carolus Magnus, Charles le Grand, il dédaignait de se draper dans les oripeaux d'un vain amour-propre. Le véritable orgueil n'a point de vanité. Le vainqueur des Saxons, des Lombards, des Avars, l'homme dont la puissance rayonnait de l'Armorique à la Bavière, de l'Aquitaine à la Frise, de Pavie ou de Trèves au plus obscur *vicus* de Burgondie ou de Thuringe, consentait que dans cette tâche si minime, et dont il eût pu se dispenser, dans cette application d'un moment, qui n'était qu'un loisir sans conséquence, son bras – ou bien plutôt le bras de Dieu – le rappelât à l'humilité.

Et moi, Eginhard, parmi tous les hauts faits et les grandes actions dont se compose la vie de ce prince, et qui en font le digne successeur de Salomon et de Constantin, je veux apporter ce témoignage aux siècles futurs. Moi, Eginhard (ou plutôt Nardulus, comme il se plaisait à me nommer avec la tendresse souriante d'un père), je dois relater cela, je l'inscrirai dans le livre que je me propose d'écrire, parce que la trompeuse renommée pourrait bien ne redire de lui que ce que chacun sait, et n'emplir les esprits que du fracas de ses victoires, certes insignes, en oubliant un fait comme celui-là, qui révèle pourtant si merveilleusement ce qu'il fut… Demeuré tant d'années au pied de son trône, comme le plus modeste de ses serviteurs, je dois témoigner de ce qui ne fut connu que de moi et de quelques autres, lesquels, hélas, ne sont plus là aujourd'hui. À toute la magnificence de son règne, je dois ajouter le souvenir de cet humble geste du stylet sur la cire, ce geste secret et obstiné, ce geste inaperçu hormis de quelques-uns – mais qui peut-être est le principe de tout le reste, des splendeurs, des batailles, des lois, de la renommée : le roi s'exerçait à écrire.

J'ai résolu en effet de consigner la vie de Charles, un prince vraiment grand et supérieur à tous les princes de son siècle. Aujourd'hui, je le redoute, nous ne sommes plus que nuit et néant, et je ne puis consentir que ce qu'il fut demeure comme s'il n'avait pas existé. L'écriture est la gardienne de l'histoire, aimait à dire mon maître Alcuin. Ce qui n'a pas été écrit se noie dans les flots de l'ombre, comme un bateau se perd en mer, et nul n'en profitera. Ce livre que je projette est la seule chose que je puisse faire encore ; ce sera son monument.

Il convient toujours de prendre garde à ce que signifient les mots. Celui-ci, « monument », est pareil au dieu Janus, l'ancien dieu de l'année nouvelle, dont une face regarde vers le passé et l'autre face vers l'avenir. Un monument est destiné à rappeler les grandes actions des héros et des saints ; mon livre, en ce sens, sera le complément de la tombe impériale dans laquelle Charles a été installé assis sur un siège d'or – oui, assis, comme s'il régnait encore –, le manteau impérial sur les épaules, fermé par une fibule d'or, la couronne sur la tête et le sceptre à la main ; à son cou, un pendentif d'or orné d'émeraudes, de grenats et de perles, contenant deux saphirs et un fragment de la Croix. Mais « monument » provient de *monere*, qui signifie « avertir » : par là, ce mot s'adresse aussi à ceux qui viendront. Mon but est de présenter aux générations futures, en la personne de Carolus Magnus, en quoi consistent la gloire et l'honneur véritables d'un prince, afin que ceux qui règneront puissent s'en inspirer.

Quant à moi, je ne suis rien d'autre qu'un témoin et qu'une mémoire. Il n'y a rien à dire de moi. Nardulus : ce diminutif me va bien, il me suffit. Alcuin fut le premier à le forger : il s'amusait de ma petite taille, et il est indéniable que je faisais risible figure, juché sur les grands chevaux de nos belles écuries. On ne peut pas tout être ; va donc pour Nardulus ! Dans certains moments de misérable amour de moi-même, certes, il arrive que je m'autorise une petite espérance, qui est peut-être encore trop : si jamais, dans quelque psautier ou recueil de capitulaires, un de nos merveilleux enlumineurs de Saint-Gall, de Reims ou de Poitiers se fixe un jour pour tâche de figurer le roi Charles en gloire, comme il l'est en son sépulcre ; s'il représente la colombe de l'Esprit-Saint voletant au-dessus de lui, et, tout petits, autour de l'image, chantant sa louange, ses ministres et ses clercs ; et s'il veut bien que l'une de ces figures s'accompagne, écrit en lettres minuscules, de ce sobriquet de Nardulus... eh bien ! Ce sera mon empyrée, ma place au paradis, ce sera me combler de plus de gloire que je n'en mérite !

2

Or donc, le roi Charles s'obstinait à écrire... Oui, j'y pense, j'y repense, c'est important, il faudra que j'en parle, que j'en parle longuement... Il avait pour l'étude et la connaissance une vénération extrême. Il avait ordonné que chaque évêque fondât dans sa ville une école. Il en existe désormais des dizaines, au mont Cassin et à Fulda, à Tours et à Saint-Riquier, à Salsbourg, à Liébana... Ses décrets descendaient jusqu'aux plus infimes détails de la copie et de la fabrication des livres : « Qu'ils s'efforcent de rendre corrects les ouvrages qu'ils exécutent et que leur plume suive le droit chemin », disait un capitulaire adressé aux copistes des abbayes. Ayant ouï parler des instructions données jadis par le grand Cassiodore, notre maître et instituteur à tous, dans son traité *De orthographia* (De la juste écriture), il nous chargea de retrouver ce livre et de le diffuser. Il s'était fait porter des exemples d'une nouvelle calligraphie, plus simple et lisible, inventée par les moines de l'abbaye de Corbie, et que l'on nomma un peu plus tard, en son honneur, la caroline.

Et c'était parmi les clercs et les lettrés qu'il choisissait le plus souvent ses conseillers et ses ministres, dédaignant les vieilles lignées guerrières, la noblesse, les *possessores* de grands domaines. Je me souviens de l'avoir vu inspecter le travail des élèves de l'école palatine. Malignement, il s'était plu à couvrir d'éloges les efforts des plus pauvres et des plus modestes, tandis qu'il fustigeait la nonchalance des jeunes nobles, tous plus attachés à leurs coursiers et à leurs armes qu'au calame, à l'encre et au papyrus. « Vous, nobles, vous, fils de l'élite, vous, délicats et beaux, vous vous reposez sur votre naissance et vos biens, sacrifiant mes ordres à votre propre gloire, négligeant l'étude des lettres, cédant à l'attrait du luxe et de l'oisiveté ou aux occupations frivoles ! Par le Seigneur des cieux ! Je n'ai que faire de votre naissance et de votre beauté, d'autres que moi peuvent vous admirer ; et tenez pour sûr qu'à moins que vous ne rattrapiez votre négligence au plus vite par une étude attentive vous ne gagnerez jamais rien d'agréable auprès de Charles. » Ainsi leur parlait-il.

Il avait pris à son service de savants lettrés, Pierre de Pise, Paul Diacre qui avait quitté pour lui l'abbaye de Benoît au mont Cassin ; l'Ibérique Théodolfe, qui avait été à l'école d'Isidore à Séville ; et Alcuin, mon maître Alcuin, Alcuin d'York, l'homme à coup sûr le plus instruit de la chrétienté... d'autres encore. Et je l'ai vu lui-même, dans toute la force de son âge, dans tout l'éclat de sa gloire, se soumettre à ces magisters comme un enfant ! Je l'ai vu s'initier à la grammaire et à la rhétorique, et au calcul, et à l'astronomie.

Le secret de ces travaux était qu'il s'imposait à lui-même ce qu'il voulait imposer à ses peuples. Un bon chef de guerre ne se borne pas à regarder de loin ses soldats se battre : il est lui-même dans la mêlée. Pareillement, il ne se dispensait pas de ce qu'il exigeait des autres dans les travaux de l'esprit. Et ce souci d'instruction trouvait en lui son exigence la plus extrême dans le désir de savoir lui-même écrire.

Tout s'y résumait. Il voulait que son corps même en acquît la discipline, il voulait connaître la peine et la crampe du bras et de la main. Connaître, littéralement, veut dire : « naître avec ». Connaître, ce n'est pas s'approprier un savoir qui ne nous modifierait pas. Connaître, c'est être soi-même transformé, modelé par ce que l'on connaît.

Mais ce que je viens de dire n'épuise pas encore le sens profond de ce geste toujours inabouti et toujours répété.

Il y a là un grand secret – et plus secret encore d'être évident et visible –, un secret que le roi avait découvert : ce secret, c'est que nous autres, hommes de race franque, nous sommes des barbares.

Depuis la nuit des temps le peuple franc, comme d'autres, s'est tourné vers le sud, vers le vin et l'huile, vers la soie, l'ivoire, les épices; vers le marbre et le bronze, vers les aqueducs et les thermes, vers les routes pavées et la mer chaude. Installés depuis les victoires de Clovis dans ce qui était alors l'empire de Rome, les hommes de la race franque se sont bornés dans bien des cas à profiter en goinfres de leurs conquêtes, des vastes domaines, des belles cités, de l'organisation encore solide de l'impôt. Habités que nous étions, toujours et exclusivement, par l'énergie sauvage de nos vieux dieux brutaux, notre seule excellence était dans les armes, car nous savions forger. Notre plus ancien dieu était un forgeron, il déchaînait le feu et frappait sur le fer. Grâce à cela, nous nous emparâmes des biens; mais seuls quelques-uns d'entre nous furent capables de poser un regard attentif sur la vieille civilisation des Romains; seuls quelques-uns en comprirent la supériorité et voulurent s'efforcer de s'en rendre dignes. Et ceux-là aussi demeuraient des barbares, mais avec une différence considérable: c'est qu'ils le savaient, et qu'ils tâchaient de se hisser au niveau de leur conquête.

Ce fut le cas de Pépin de Landen, sage ministre de deux rois, homme de méditation et de prière, et la figure certes la plus vénérable de la lignée qui s'est accomplie en Charles. Ce fut un peu moins vrai s'agissant de son petit-fils Pépin, dit de Herstal, et moins encore de Charles, premier du nom, dit « le Martel », dit aussi parfois « le bâtard ». En débarrassant le *regnum* de l'invasion sarrasine, celui-là apporta à la descendance du vieux Pépin un prestige vraiment royal. Mais il fut un roi de l'épée, et non de l'esprit. Sa valeur éclatante fut celle du combat, non celle de la loi et d'une sage administration ; encore moins celle de la civilisation et du savoir. On n'était pas même sûr qu'il fût, en son cœur, vraiment chrétien. À plusieurs reprises il n'hésita pas à piller les biens des églises, des évêchés, des monastères, pour les distribuer en récompense à ses soudards.

Eh bien moi, je sais que Charles, le mien, mon roi et maître, instruit de l'histoire de ses aïeux, n'a jamais cessé de se considérer comme un barbare. Ce terme dédaigneux, appliqué depuis la nuit des temps par les Romains et les Grecs à tous ceux qui ne parlaient pas comme eux (et à tout ce qui vivait au nord du fleuve Danube, et à l'est du fleuve Rhin), il y voyait une sentence juste et légitime, devant laquelle il s'inclinait. Il a donc considéré comme un devoir, toute sa vie, de se racheter, en quelque sorte, et à travers lui de rédimer son ascendance, d'en prolonger les meilleures inclinations, comme on soutient sur l'espalier les branches les plus fécondes de l'arbre.

Ces inclinations, il les avait en lui. Je tiens qu'il réunit en sa personne les plus utiles vertus de sa race. Il sut être le guerrier et le sage, il joignit, à la puissance d'assujettir, l'intelligence d'admirer. Il partagea chacune de ses années entre les entreprises militaires, les voyages dans ses cités et ses territoires, afin d'y imposer la nécessité des lois et de leur application, et les séjours dans l'une ou l'autre de ses résidences, où il envisageait les actions futures et méditait sur les devoirs d'un prince, le sens de son règne et la volonté de Dieu. Il vénérait l'héritage romain, compromis en deux siècles par trop de violences, et poursuivait l'ambition de le rebâtir et de le transmettre.

Non qu'il dédaignât de chasser dans ses forêts, non qu'il se refusât aux plaisirs et aux divertissements qui agrémentent la cour des rois, et dont ses ancêtres, non plus que la lignée de Mérovée et de Clovis, ne s'étaient privés ; non qu'il se dérobât aux banquets, à la vue des danseurs, à l'écoute des musiciens, et, pourquoi le taire, à la fréquentation d'innombrables concubines ; mais il savait que rien de tout cela ne fait un grand roi aux yeux de Dieu. Ce monarque que j'ai vu se jeter, nu et rugissant de joie, dans la vaste piscine aux eaux chaudes de son palais d'Aix, savait que sans la connaissance et la piété on n'est qu'une brute. Et tout cela pour moi se résume dans ce geste ultime, consistant à tenter de tracer des lettres sur la cire.

Il avait compris que sans l'écriture et le livre il n'y a pas de mémoire, il n'y a pas de lois, rien n'est solide ni ne perdure. Les rois de son peuple s'étaient contentés de l'allégeance verbale, du serment prêté devant témoins. Il sut que les paroles s'envolent, que l'oubli les prend dans son manteau d'ombre, tandis que les écrits restent. Il voulait par eux cercler son empire, comme le fer cercle le tonneau et la roue. Voilà ce qu'il y avait dans l'âme du roi. Mais voilà aussi ce qui guidait sa main malhabile devant la tablette de cire : il voulait que l'écrit passât par elle, par lui ; il voulait se l'incorporer. Il ne lui suffisait pas d'en être l'ordonnateur : il voulait en être le sujet. Il ne suffisait pas d'en imposer partout et à tous le devoir, il lui fallait s'en faire lui-même l'illustration et l'exemple.

Barbares. Nous étions des barbares. Mais cela, peut-être, ne qualifie pas seulement un peuple ou un autre. Cela peut-être possède un sens qui concerne la créature humaine elle-même. *Barbare* est l'enfant qui naît. *Barbare* est celui qui émet des bruits qui n'ont pas de sens. *Barbare* est tout homme en son départ, ignorant de ce qu'ont produit, au cours des siècles, la sagesse et l'intelligence humaines éclairées par la foi. Mais ce barbare est invité au banquet, et chaque homme, à la place qu'il occupe, est dépositaire et responsable d'une part du monde humain. Quiconque n'a pas compris cela demeurera barbare.

Et de même qu'il tentait de plier sa main à l'écriture, Charles avait – avec davantage de succès – fait l'effort de s'arracher à sa langue maternelle. Il me faut expliquer cela aussi.

Il était parvenu très jeune (en tout cas, bien avant que je ne fusse à son service) à parler aussi bien la langue des Romains que la langue franque, ce qui n'avait pas été le cas, loin de là, de tous ses ancêtres. Quant à la langue grecque, il ne pouvait l'utiliser, mais il avait appris à l'entendre et à la déchiffrer. Le ressort de ces efforts-là était la même humilité qu'il manifestait devant le stylet et la cire.

La langue franque, qui nous est la plus spontanée, qui est celle dans laquelle s'expriment d'innombrables sujets du royaume, est une langue grossière et primitive. Souvent j'ai pensé, en l'écoutant, que les gens qui la parlent ne savent même pas qu'ils parlent. Elle sort, comme une éructation ou un cri d'animal, du bûcheron levant sa cognée, du rustique menant ses porcs à la glandée, du guerrier engoncé dans sa brogne de cuir durci. Elle n'est rien de plus que la poussière ou la boue que l'on traîne attachées à ses bottes.

Charles, à la vérité, n'a jamais cessé de manifester pour elle une manière de sollicitude, recommandant qu'on la fixât par écrit et qu'on en constituât la grammaire. Beaucoup d'entre nous s'étonnaient d'un tel souci, mais il s'obstina, attribuant même des noms tudesques aux mois de l'année, aux vents et aux points cardinaux. Il voulut aussi que fussent transcrits les anciens chants vantant les exploits de notre race. Mais ce n'était pas davantage, je crois, qu'un devoir de piété, peut-être, envers ce vieux peuple vaillant, et aussi la volonté que les lois, les admonitions, les capitulaires fussent compris des populations qui n'avaient jamais été assujetties à l'empire des Romains.

Il n'en demeurait pas moins, et il l'avait compris, que même écrite cette langue ne conduit à rien d'autre qu'à un passé tantôt glorieux et tantôt obscur, mais démuni de raison et de réalisations. Ses inflexions rogues ne présentent à l'esprit que des forêts, des plaines vides, de la terre et du sang, de vieux exploits d'épées et de lances, au lieu que la langue latine et la langue des Grecs, elles, font paraître aux yeux les villes, les greniers portuaires, les opulentes basiliques, toute la meilleure civilisation qu'a pu bâtir l'humanité. Elles sont emplies de toutes les richesses du commerce, du savoir et de la pensée ; et c'est elles que Dieu a choisies, enfin, pour y déposer la Révélation.

La langue latine était déjà, depuis longtemps, la plus familière aux oreilles d'une grande partie de ses sujets ; tout ce qui vivait dans les Gaules, en tout cas. Mais ils la parlaient mal, la déformaient ; et lui ne voulait point qu'elle fût abâtardie. Il lui apporta tous ses soins, il en prenait des nouvelles comme d'un enfant en nourrice ou d'un malade buveur de tisanes.

Il faisait réunir des livres, il en avait demandé à Rome et à Constantinople. Il aimait, quand il en avait le loisir, à réunir ses clercs et ses lettrés, afin que l'on parlât philosophie, et que l'on lût à voix haute. Horace, Cicéron, Virgile, et Juvénal, et Salluste étaient au programme de ces heures studieuses.

Mieux encore : il avait eu le souhait de créer, à l'instar de Platon, ce qu'il appelait une « académie ». Lui-même y paraissait sous le nom de David, et nous avions été conviés à nous décerner des surnoms. Tel de nos amis s'y nommait Homère, tel autre Pindare. Certains n'y voyaient qu'un jeu futile, un passe-temps de cour. J'ai moi-même mis longtemps à comprendre le sens véritable de cette initiative, et le voici : Charles se comparait.

3

Charles se comparait. C'est ainsi que je l'ai découvert. Il avait ouï parler de cette *académie* groupée dans les siècles anciens autour du savant Platon. Et aussi de cet aréopage d'Athènes, réunion des plus sages esprits, devant lequel l'apôtre Paul avait comparu. Tout cela se mêlait, je crois, dans son esprit, et sans doute avec quelque naïveté, à l'idée qu'il se faisait des antiques splendeurs.

Il se comparait.

Et de la même façon, il comparait son royaume à l'empire de Constantinople. Jamais il ne vit la capitale de l'Orient, mais on lui en avait décrit les splendeurs, les palais, les églises, les innombrables écoles et monastères, les bibliothèques, les archives qui en faisaient véritablement le grenier de l'histoire et de la connaissance... Comme il se trouvait pauvre et démuni en regard de cela !

De la même façon, plus tard, lorsqu'il établit correspondance avec le puissant « calife » des mahométans, il apprit que dans la ville de Bagdad, où se trouvait son palais, celui-là avait réuni de savants personnages, juifs ou grecs, et que l'on s'y adonnait à l'étude. Haroun al-Rachid, comme il se nommait (ce qui signifiait Aaron le Sage), n'avait eu de cesse de faire chercher les livres des pays qu'il avait conquis ; il s'émerveillait de l'astronomie ou de la médecine, il en faisait traduire les traités en langue arabe. Des ambassadeurs relataient que, lorsqu'il était satisfait d'un poète, il lui faisait remplir la bouche de perles fines. Mieux encore : il avait trouvé dans l'Orient lointain le secret d'un papier plus solide et blanc que le papyrus, moins coûteux et rare que les peaux animales. Charles en avait reçu en cadeau. Ce matériau nouveau possédait un grand avantage sur le parchemin et les tablettes de cire : on ne pouvait plus effacer ce qui y avait été écrit de la main du maître ou des grands ministres. Et Charles rêvait, rêvait, jaloux de cette splendeur et de tout ce qu'il ignorait...

Charles se comparait. Et il se savait barbare, et il savait que son royaume était barbare. Il comprenait que les royaumes et les empires ne subsistaient pas seulement par les victoires guerrières et la domination brutale des pays conquis, mais avant tout par le sage développement de la science, des arts, des lois – de tout enfin ce qui se rapportait aux livres et passait par l'écriture (le geste de la main, opiniâtre, qui forme des lettres).

Les lettres, en des temps très anciens, avaient été florissantes dans les Gaules. Les invasions, les guerres civiles, avaient fait disparaître beaucoup d'écoles et de livres. Les descendants de Clovis n'avaient guère manifesté le souci de cela. Les magisters avaient manqué, les copistes avaient manqué. Sans leur truchement, c'était tout le trésor de fables, de connaissances et de pensées accumulées depuis les temps les plus anciens par l'esprit humain, qui se perdait comme se perd dans la brume un rivage dont s'éloignent de trop hardis navigateurs.

Cependant, en dépit des âges obscurs que notre chrétienté avait traversés, le fil n'avait jamais été tout à fait rompu. On le devait à quelques hommes, parfois demeurés illustres, parfois inconnus – mais qui entre eux se connaissaient. « Nous portons ce trésor dans des vases d'argile », dit l'apôtre Paul. Ils avaient aussi porté un trésor, en secret.

Alcuin, le premier, le fit entrevoir au roi Charles – et de même à moi. Alcuin était né dans les îles britanniques, où il avait étudié. Plus tard, revenant d'un voyage à Rome, il avait rencontré Charles qui venait alors de vaincre les Lombards d'Italie, et ce dernier, séduit par sa science, l'avait convaincu de s'établir auprès de lui dans la ville d'Aix, qu'il faisait édifier ; il en fit le maître de l'école palatine. Alcuin aimait à s'entretenir avec moi et j'étais fier de cette amitié. Il lui plaisait aussi d'exprimer ses pensées d'une façon qui me surprenait, et il me dit un jour :

– Il y a une conjuration autour du roi Charles.

Je le revois sourire de mon étonnement.

– Ne crains pas qu'il soit trahi ! continua-t-il. Cette conjuration est la conjuration du livre. Elle n'a jamais cessé.

Et voici quel était le récit qu'il aimait à faire :

– En Italie, sous le règne du grand Théodoric, vivaient deux hommes dont tu connais la réputation et les œuvres : Boèce et Cassiodore. Tous deux se trouvaient à la cour de Ravenne et servaient ce roi. Boèce fut accusé de trahison et tué sur son ordre. Puis Théodoric mourut, et toute l'Italie entra dans des temps de guerre, car l'empereur Justinien voulait la reconquérir. Ce fut alors que Cassiodore, écarté des affaires politiques qui avaient occupé sa vie, et affligé par les interminables violences qui suivirent, se retira sur ses terres, au bord de la mer du Sud. Et là, il constitua une bibliothèque qui comportait cinq milliers d'ouvrages : il redoutait, en effet, que toute science ne se perdît dans le sang et la flamme, au cœur des villes dévastées par le pillage.

« Puis surgirent les Lombards, qui chassèrent du pays les armées de Constantinople. Ils étaient frustes, impies, sanguinaires. En ce temps-là Cassiodore était mort, âgé de près de cent ans. L'évêque de Rome, Grégoire, l'avait connu, et il se soucia de mettre à l'abri des destructions le trésor qu'il avait constitué. Il donna mission à l'évêque de Séville, Léandre, de se rendre à Scylacium, où Cassiodore avait œuvré entouré d'une centaine de moines. Il n'y avait presque plus personne dans le monastère. Une partie des livres fut rapportée à Rome, dans le château du Latran. Mais Léandre en fit charger une autre partie sur une nef, qui les emporta en Espagne.

« Là se trouvait son jeune frère, Isidore, qui depuis l'enfance montrait pour les livres et le savoir un appétit et un talent extraordinaires. Isidore fut plus tard le ministre du roi wisigoth Récarède, qu'il arracha à l'hérésie arienne pour l'amener à la vraie foi. Mais tout en s'occupant du royaume d'Espagne, Isidore persistait dans l'étude, et, pour continuer l'œuvre de Boèce et de Cassiodore, il écrivit un immense ouvrage, formé de plusieurs livres, où étaient résumées toutes les sciences et toute la philosophie, la description des artisanats, les connaissances des géographes, des astronomes, des médecins, des architectes... Cet ouvrage, qui est un peu le livre de tous les livres, hélas, nous ne le possédons pas...

« Mais un homme, un homme de mon pays, voyagea en Espagne et put le connaître. Cet homme s'appelait Benoît Biscop. Il fut également à Rome, où il put lire et faire copier d'autres livres de la bibliothèque qui avait été celle de Cassiodore. Puis il séjourna dans le grand monastère de Lérins, situé sur une île de la Provence, et qui fut depuis pillé et détruit par les Sarrasins.

« Des guerres, des destructions, Benoît Biscop avait été suffisamment instruit par ses voyages. Il se rappela que nos îles bretonnes étaient alors préservées de toutes ces abominations et violences. Le pape Grégoire y avait envoyé des missions, et de nombreux couvents existaient. Il y revint, et obtint de son roi,

Egfrid, la permission d'édifier un nouveau monastère, à Wearmouth, qui devint un centre d'études. C'est là que fut réalisée la grande bible amiatine, pour laquelle on utilisa la peau de deux mille moutons…

« Benoît avait mis à l'abri à cet endroit tous les livres qu'il avait pu rapporter de ses voyages. Lui succéda, comme supérieur du couvent, Ceolfrid, lequel se consacra à son tour à former des disciples, parmi lesquels se trouva Bède, qui étudia aussi auprès d'Adamnan, lequel avait composé le livre de la Terre sainte, d'après ce que lui avait rapporté l'évêque aquitain Arculf… Je multiplie ces noms, Nardulus, que tu n'es pas obligé de retenir, afin de te montrer combien, s'ils n'étaient pas illustres (et ils ne le cherchaient pas), étaient nombreux, et disséminés partout, ces hommes de la conjuration du livre !

« Bède (celui-là au moins, tu en connais le nom) fut savant en histoire comme en théologie, en grammaire comme en musique. Il lisait le grec et l'hébreu. Il traduisit les Évangiles en langue vulgaire. Il lut le grand livre d'Isidore et, sur divers point, le contesta. Il écrivit l'histoire de notre peuple, un peu comme notre ami Paul Diacre l'a fait depuis, concernant le sien, les Lombards. Et Bède fut l'instituteur d'Aelbert, qui fut mon maître… Et s'il y a des poètes autour de nous, c'est grâce à lui encore, qui nous enseigna l'art des vers, tel qu'il l'avait tiré de Virgile, d'Horace, d'Ovide.

« Comprends-tu ce que je veux te dire ? Tous ces hommes ont connu les grands chemins, les ports et les bateaux, le risque des brigands et celui des tempêtes. Tu as parfois examiné l'activité des fourmis à l'entour de leurs citadelles ? Elles courent en tous sens, elles forment des colonnes, et si tu les regardes bien, tu t'aperçois que ce mouvement, qui paraît de prime abord désordonné, est en réalité réglé par la volonté commune qui les anime, et dont nous ignorons le principe, comme nous ignorons quels signes elles peuvent bien se donner entre elles... Eh bien, tous ces hommes dont je te parle ont agi de façon semblable à la surface de la terre. Au fil du temps et de leurs voyages, en Italie, en Espagne, dans les Gaules, dans l'île qui est ma patrie, ils se sont transmis les œuvres, les pensées, les connaissances. Et de la même façon que les fourmis, si tu déranges de ton bâton ou de ton pied l'ordonnancement de leur domaine, s'empressent aussitôt de le réorganiser et reconstruire, de la même façon, indifférents aux tyrannies, aux guerres, aux batailles, aux destructions, ces hommes souvent obscurs, ou connus seulement des autres conjurés, ont inlassablement repris et continué l'œuvre commune. De Cassiodore à toi, Nardulus, le fil ne s'est jamais rompu. Nous ne sommes pas nombreux, mais le fil ne s'est jamais rompu. Nous nous tenons la main, au fil du temps... Tels sont les conjurés du livre.

4

Je suis vieux à présent, retiré dans ce monastère que j'ai fondé, et je redoute que nous ne soyons plus que nuit et néant... Mais c'est peut-être la pente commune des vieux hommes, que de prendre leur propre déclin pour le déclin du monde... C'est peut-être la loi des astres. Au mois de juin, quand nous célébrons l'évangéliste Jean, la lumière est dans sa plus grande étendue, et nous savons qu'elle va insensiblement décliner jusqu'aux premières rigueurs de l'hiver et à la mort apparente de toute chose. Mais n'est-ce pas aussi en ce moment le plus sombre de l'année que son retour s'annonce, ce que savaient déjà les païens qui glorifiaient alors le *sol invictus*, que nous avons nommé de son vrai nom – Christ –, et qu'elle se dispose à se déployer à nouveau sur le monde ?

Il semble bien que l'homme soit ainsi condamné à marcher du jour à la nuit, de la nuit au jour, et encore du jour à la nuit, comme le laboureur est contraint de revenir à la terre, et qu'il désespère parfois, convaincu que ses pas tracent toujours le même cercle... Mais peut-être chaque nouveau cercle nous mène-t-il un peu plus haut, comme dans l'ascension de la spirale ?

Je ne sais... La vie m'échappe, et plus encore les affaires de l'*imperium*. Je ne reçois pas grand monde. Il m'arrive de correspondre avec Louis, l'héritier de mon roi, ou bien avec tel ou tel ami encore occupé des affaires de la cour. Mais j'ai terminé mon parcours ici-bas, et je ne m'occuperai plus qu'à écrire mon livre, en attendant que le Seigneur m'appelle à lui pour me donner dans l'autre monde le salaire que j'aurai mérité. J'ai fait, je crois, ou du moins j'espère, ce qu'il attendait de moi. Il nous indique toujours ce qu'il attend de nous, si l'on sait voir, sentir, comprendre.

Il me guide par le juste chemin,
Pour l'amour de son nom.
Passerais-je un ravin de ténèbres,
Je ne crains aucun mal.

Lorsque je me remémore les vingt années passées au service de Charles, deux sentiments surgissent en moi : la nostalgie et la gratitude. Nourri par ce monarque du moment où je commençai d'être admis à sa cour, j'ai vécu avec lui et ses enfants dans une amitié constante qui m'a imposé envers lui, après sa mort comme pendant sa vie, tous les liens de la reconnaissance ; on serait donc autorisé à me croire et à me déclarer bien justement ingrat, si, ne gardant aucun souvenir des bienfaits accumulés sur moi, je ne mettais pas à profit le temps qui reste pour parler des hautes et magnifiques actions d'un prince qui s'est acquis tant de droits à ma gratitude.

Puis il y a la nostalgie, et avec elle, toujours, une forme de remords. J'ai mis longtemps à comprendre pourquoi la vision du temps passé communique si souvent à l'âme le sentiment trouble du péché, et pourquoi ce que nous avons fait, même le meilleur, peut nous inspirer parfois je ne sais quelle honte, ou quel dépit. Je crois le discerner à présent. Les moments, lorsqu'on les vit, viennent et passent. La mémoire seule en fait un domaine unique où l'on peut retrouver les travaux, les plaisirs, les épreuves, les succès, les traverses. Mais lorsque c'était là, lorsque c'était réel, a-t-on su en goûter tout le prix ? A-t-on su rendre grâce ? N'a-t-on pas été machinal, indifférent, comme si cela nous était dû ? Or, rien ne nous est dû sur cette terre. Il m'a été donné, à moi, d'être l'un des artisans (en rien supérieur au plus obscur charpentier) conviés à l'œuvre la plus noble qui se puisse concevoir : le façonnage d'un monde. Car c'est bien au façonnage d'un monde que j'ai participé, à mon obscure place ; et ma vie, si elle en valait la peine, pourrait être contée sous ce titre : le livre des émerveillements. Me suis-je assez émerveillé, ai-je assez remercié Dieu de m'avoir placé là, quand sa puissance eût pu me confiner loin de tant de prodiges, et dans leur ignorance ?

J'ai vécu dans la grande ombre majestueuse et protectrice de quarante-sept ans de règne, dont je n'ai pas tout vu ; Charles était déjà un roi illustre quand j'entrai à son service, et je puis bien dire que sa vie a excédé, surplombé, englobé la mienne. J'étais un tout jeune homme, frais émoulu de l'abbaye de Fulda, où l'on m'avait instruit, et, sur la recommandation de mes maîtres, j'avais été admis à l'école palatine que dirigeait Alcuin, dans la nouvelle capitale que le roi faisait bâtir autour de l'ancien domaine nommé Aquis Villa.

Et c'est lui, Alcuin, qui ne dédaigna pas de poser son regard sur moi et de me faire entrer bientôt dans le premier cercle des serviteurs de Charles. Alcuin... Devant celui-là aussi, je dois m'incliner, et avec quelle reconnaissante joie ! Il repose maintenant, depuis bien des années, en son abbaye Saint-Martin de Tours, dans les Gaules. Dieu, que de chance, que de chance, d'avoir été distingué par des hommes de cette qualité-là... Rien n'est plus bienfaisant à l'homme, rien peut-être n'est plus propice à son salut, que de reconnaître ce qu'il doit.

Mais tout en rendant grâce pour les chances et les bénédictions qui ont entouré ma vie, je m'interroge sur la trame plus obscure des destinées qui emportent l'histoire humaine.

Souvent, il est arrivé à l'empereur de consulter des astrologues venus de l'Orient. Il se plaisait à étudier les mouvements des étoiles, et il n'excluait pas qu'ils eussent une relation avec les tribulations humaines.

Il aimait à débattre de ce sujet avec les membres de son « académie ». Rien ne permettait d'affirmer que la science des astrologues fût digne de foi, et même, qu'elle ne fût pas en quelque façon diabolique, mais Charles en prenait le risque. Il ne voulait perdre aucune chance de scruter le monde et le temps, d'en comprendre quelques mystères. Alors, pourquoi pas celui-là ? Quand il y a un mystère, on ne se détourne pas. Le mystère peut être la marque de Dieu, la trace de sa main. Celui qui rejette le mystère en haussant les épaules, celui-là est l'impie. Celui qui, tout en redoutant l'erreur à chaque pas, se met quand même en devoir d'examiner et de s'interroger, celui-là est l'homme pieux, l'homme respectueux de la création et de l'omnipotence divine. Alors, fallait-il croire que les mouvements des sphères célestes, les conjonctions d'astres, eussent une influence sur les heurs et malheurs des hommes, ici-bas ? Nous n'avons jamais répondu oui ; nous n'avons jamais répondu non.

Mais ce qui m'apparaît aujourd'hui, c'est qu'à défaut de conjonctions d'astres il y a bel et bien des conjonctions dans le devenir humain, des conjonctions qu'il n'est pas nécessaire d'aller chercher dans le ciel nocturne, car on les voit, dans le cours des affaires terrestres, se former ou se défaire, et sur lesquelles nous n'avons pas de prise. Et cela m'émerveille et m'attriste en même temps, car je songe que tout ce que j'ai vu de beau, de grand, d'heureux dans les décennies écoulées n'a peut-être été le fruit que de telles conjonctions, qui ne se reproduiront pas.

J'ai souvent pris plaisir au jeu des échecs : sur ce simple plateau où l'on déplace des pièces d'ivoire ou d'ébène, on pressent la profonde logique des choses. Chaque déplacement d'une figure ou d'une autre entraîne des suites, de nouvelles situations, que l'esprit a grand-peine à prévoir au-delà de trois ou quatre coups d'avance, mais dont l'enchaînement, quand on le considère rétrospectivement, apparaît comme inévitable et fatal. Ce divertissement, en lequel l'homme oublie ses soucis pour consacrer l'esprit à une entreprise sans conséquence, est merveilleusement fait pour nous laisser entrevoir, comme par symbole, la limite de nos efforts et de nos combinaisons parmi des destinées qui nous dépassent.

Il en a fallu, des circonstances croisées, entremêlées, pour que ce règne fût ce qu'il a été. Il a fallu, je l'ai dit déjà, tout ce qu'avaient déposé ses aïeux, comme les présents des rois mages, au pied du berceau de Charles : leur exemple, leur puissance, leur prestige. Il a fallu cet homme, que son lignage avait placé là, qui n'avait pas choisi d'être prince, mais que sa complexion et son caractère rendaient plus apte que quiconque à assumer cette tâche avec énergie, avec courage, avec joie même. Tantôt guerrier, tantôt législateur, tantôt théologien ; implacable s'il le fallait, mais parfois compatissant et doux ; rieur ou lointain, sévère ou débonnaire ; rigoureux dans la pensée, déterminé dans l'acte ; volontaire, mais attentif ; énergique, mais patient et prudent ; conscient d'être le maître et voulant être obéi, mais se faisant un devoir d'écouter les avis contraires – bref, présentant l'adéquation la plus parfaite entre sa nature et sa tâche, ses inclinations et ses devoirs, cet homme était un don de Dieu aux hommes. La chose était d'autant plus étonnante, et par là, peut-être, marquait encore plus la trace de la volonté divine, que Charles était né bâtard, en quelque sorte : il avait vu le jour plusieurs années avant que ses parents ne s'unissent par le mariage ; il partageait cette singularité avec son aïeul le Martel. Et je songe, quoique ce soit peut-être blasphématoire, que Jésus lui-même, le Sauveur, fut conçu hors des liens du mariage… Il a fallu ensuite que la mort le privât d'un frère cadet, né, quant à lui, en toute légitimité – lui seul, dans le principe, pouvait être véritablement dit le fils de Pépin et de Berthe –, avec qui il avait d'abord partagé le pouvoir, et qui n'était sans doute pas un mauvais homme, mais qui était inutile. Tout s'est passé comme si la providence avait fait le nécessaire pour lui ouvrir la voie, à lui, Charles. Le copiste qui a fait une erreur gratte soigneusement le vélin, pour reformer les figures justes. Ainsi la providence accomplit-elle ses repentirs et ses ratures.

Mais ces circonstances-là, relatives à l'homme qu'il fut, ne suffisent pas encore. Quand j'examine les causes et les effets, j'en viens à me dire que tout a toujours déjà commencé plus loin dans le passé. Pour que Charles fût le grand roi qu'il a été, il a fallu d'abord que le pape Étienne se rendît en personne à Saint-Denis – où était inhumé Charles le Martel – pour couronner Pépin, son père : aucun des anciens rois, descendants de Mérovée et de Clovis, n'avait reçu une telle onction. Pépin fut consacré par Dieu.

Mais pourquoi le pontife entreprit-il ce voyage, et procéda-t-il à cette cérémonie ? Les raisons en sont encore bien plus anciennes.

Cela faisait longtemps que l'Église de Rome subissait avec une impatience croissante la tutelle de Constantinople, cette capitale orgueilleuse qui s'obstinait à tirer à elle le manteau du Christ. Rome, ville déclassée, ville humiliée, mais source de l'Empire et cité du fondateur Pierre, cherchait à restaurer sa puissance. Grégoire le Grand avait montré la voie en s'efforçant d'attacher à elle les rois wisigothiques d'Espagne, ceux d'Angleterre, ceux des Gaules, et même les terribles Lombards. Paul Diacre, qui fut notre compagnon, qui est issu de ce peuple et qui en a écrit l'histoire, m'a souvent et longuement parlé de la reine Théolinda, laquelle fut la complice secrète de Grégoire. À la domination étouffante de Constantinople, à l'arrogance lombarde que cette excellente reine n'avait pas réussi à juguler totalement, vint plus tard s'ajouter un nouveau péril : la conquête sarrasine. L'Espagne tout entière était tombée aux mains de ce peuple lointain, intrépide, et qui semblait invincible. La Sicile était menacée.

Or, à l'occident et au septentrion, croissait et s'étendait le *regnum francorum*. Et c'est là, de par l'énergie et la force de Charles le Martel, que pour la première fois on avait vu l'invasion sarrasine reculer. Dans le même temps, notre peuple portait le fer, et le Christ, loin dans les pays mal connus de l'immense Germanie. Cela était saint. Cela agrandissait la chrétienté.

Rome chercha alors auprès de la puissance franque le bras séculier, le bras armé qui la protègerait.

Les héros, les chefs valeureux du royaume n'étaient plus les descendants de Mérovée : c'était Charles le Martel, c'était Pépin. Le pontife Étienne considéra qu'il fallait donner la couronne à ceux qui détenaient et exerçaient la puissance réelle.

Et personne ne savait alors que de ce geste, de cette onction, une immense idée était en train de naître, qui grandirait dans l'ombre durant des décennies, et dont l'éclosion attendrait le jour de Noël de l'an 800 du Christ…

J'y viendrai. Je ne sais pas encore comment ordonner tout cela, je songe à ce livre sans faire davantage que d'en mêler et remuer les éléments dans mon esprit. Les souvenirs se pressent, je passe de l'un à l'autre, chaque moment me renvoie à un autre moment, chaque idée à une autre idée. Il me faudra mettre de l'ordre. En attendant ce moment, le songe me suffit. Que de choses passées, et quels beaux temps ces temps ont été !

J'en reviens toujours à ce moment de mes vingt ans qui fut le moment décisif de ma vie. Je me revois frémissant d'impatience et de peur, cheminant vers la cité d'Aix, où se trouvait alors le roi Charles. L'abbaye de Fulda, qui avait abrité mes jeunes années, avait été fondée jadis par Boniface, grand évangélisateur de la Germanie. Elle était devenue très vite fameuse, et protégée à la fois par le pape de Rome et le roi des Francs. Elle avait eu à redouter les incursions des Saxons agressifs, adorateurs de stupides idoles. À dix ans, à quinze ans, j'ai entendu les plus anciens parmi les moines évoquer leurs terreurs, et comment le jeune roi Charles avait alors surgi pour mater et soumettre ce peuple furieux. Il les avait pourchassés loin des cités chrétiennes. Au fin fond de leurs forêts, ils adoraient un chêne, au lieu qu'ils appelaient Irmensul. Ils pensaient et proclamaient que ce tronc démesuré soutenait le ciel et l'empêchait de s'effondrer sur la terre. Charles s'en vint avec ses bûcherons ; la cognée retentit des heures durant, car le tronc de cet arbre était si puissant que douze hommes réunis, bras tendus, n'en pouvaient faire le tour. Lorsque ce monstrueux végétal s'inclina et s'abattit, faisant lever des nuées d'oiseaux, chacun resta saisi et un instant inquiet – car même les chrétiens, en ce moment, ne pouvaient se retenir de se demander ce qui allait advenir. Il n'advint rien, le ciel resta où il était, la terre ne ploya pas sous le choc, et chacun put voir ainsi que le Dieu des Francs soutenait l'univers, lui, par sa seule et invisible omnipotence.

Les barbares s'étaient retirés, mâchant l'humiliation et l'injure, mais surtout ébranlés au plus profond de leurs croyances. L'univers n'était pas ce qu'ils croyaient depuis toujours. Le doute s'insinuait en eux de se demander s'il n'existait pas un Dieu plus puissant que leurs dieux.

Cette victoire ne fut que provisoire, et Charles devait encore combattre bien des fois, dans les années suivantes, pour subjuguer le pays saxon. Mais aux yeux de l'adolescent que j'étais alors, et qui écoutait ces récits, il apparaissait déjà comme le Protecteur, une puissance tutélaire et bienveillante, un intermédiaire entre les hommes et Dieu. Et je me souviens que mon cœur battit d'appréhension et de joie lorsqu'il me fut annoncé que je me rendrais là-haut, dans sa capitale, tout près de lui...

Je me souviens aussi de mon émoi lorsque je lui fus présenté. Je me faisais l'image de quelque géant terrible, juste, peut-être, mais terrible, plein d'une majesté semblable à celle du volcan. Je me trouvai devant un homme au vêtement assez simple, à la tête ronde et avenante barrée d'une épaisse moustache. Son port, sa stature, étaient majestueux sans effort, sans qu'il parût le rechercher par quelque grimace de sévérité ou de morgue. Il se montra envers moi d'une affabilité parfaite, souriante, et d'ailleurs expéditive. Je n'étais à ses yeux qu'un tout petit personnage, une recrue. Nardulus ! Oui, mais je faisais désormais partie des élus, et c'était pour moi comme si Dieu lui-même m'avait appelé près du trône céleste.

Eh oui, j'avais vingt ans alors, j'en ai plus de soixante aujourd'hui. Les heures, les jours, les mois ont passé. Voilà encore un des paradoxes du temps : toutes ces heures, tous ces jours, tous ces mois, qui ont paru s'écouler lentement comme le sable dans le sablier, paraissent, quand on les considère ensuite, n'avoir constitué qu'un instant. Le temps existe-t-il ? Nous le croyons tous, il nous semble le voir comme on voit le jour, le toucher des mains comme on touche un objet, mais pourtant, si nous tentons d'en saisir et d'en exprimer la substance, elle nous échappe. Il n'est au fond pas une seule donnée de notre vie qui, bien considérée, ne nous apparaisse pour ce qu'elle est : un mystère, ou un miracle.

Vingt ans, soixante ans. Toute une vie, de son aurore à son déclin. Il m'arrive d'envier ceux qui ont trouvé la mort plus jeunes, au cours des batailles : leur est épargnée la vision de cette morne étendue, devant eux, d'un temps qui ne leur donnera plus rien que des deuils, des déceptions et des souffrances. Je suis vieux, et souffrant sans même être malade. Je subis jour après jour les élancements obsédants de mes reins douloureux, l'ankylose de ma jambe droite, l'humiliation aussi de fréquents relâchements d'entrailles. Mon entretien le plus quotidien et le plus familier est celui qui me met aux prises avec ces douleurs misérables. Cette jambe, je l'interroge, ces boyaux, je les écoute ! Ce sont mes créanciers, ce sont mes guêpes ! Quelle horreur que ce corps qui se disloque, qui n'est plus occupé qu'à mourir par étapes…

Et je crains parfois que l'Empire aussi ne se disloque, je redoute que nous ne soyons plus que nuit et néant…

Allons, je dois travailler à mon livre.

5

Bien sûr je parlerai de la guerre. Je ne l'ai jamais aimée et je ne l'ai d'ailleurs jamais faite ; ce n'était nullement mon emploi. Mais chaque année, c'était avec tristesse que je voyais le roi prendre la tête de l'armée, me demandant toujours s'il reviendrait.

Il le fallait. De tous les confins du monde surgissait la menace, toujours conjurée, toujours renaissante. Il fallait bien garder la maison de Dieu, le pays de Dieu et des hommes. Car c'est de cela que je parle quand je dis que nous façonnions un monde.

La première guerre contre les Saxons, celle qui avait empli mon adolescence d'effroi et d'admiration, n'avait pas suffi. À deux ou trois reprises, durant les années suivantes, Charles dut rassembler l'ost contre eux lors de l'annuel champ de mai. Leur roi, Widukind, nom qui signifie « le fils de la forêt », avait feint de se soumettre, avant d'aller demander aide et asile au roi de Danemark, à la famille duquel il était allié. Sa soumission n'était que l'hypocrisie de la faiblesse. Aussitôt qu'il le put, il reprit ses attaques, ses pillages, ses exactions. Charles comprit qu'il ne fallait pas seulement vaincre ce peuple le temps d'une bataille : il fallait lui briser l'échine, le jeter au creuset du *regnum*. Il prit pour cela, calmement et en se recueillant dans la prière, les dispositions les plus terribles. Je l'en approuvai, je l'en admirai. Être impitoyable est parfois le devoir des rois, et c'est un devoir qui demande du courage.

Impitoyable, l'ultime campagne le fut. On chercha les hameaux, les campements, dans les plus lointaines clairières, et tout fut rasé. Plusieurs milliers de guerriers saxons, faits prisonniers à Verden avec femmes et enfants, eurent à choisir entre le baptême chrétien et la mort. Quatre mille d'entre eux, qui refusaient le salut chrétien, furent occis. Dix mille familles furent emmenées en captivité, et installées de force dans les cités et les campagnes les plus éloignées du royaume : dispersés, ces gens ne pourraient plus songer à la révolte, ils perdraient leur langue et leurs dieux. D'autres furent vendus comme esclaves sur les marchés de Lyon et de Marseille : des galères les emmèneraient de l'autre côté de la mer, en pays maure. Le loup Widukind, enfin capturé, accepta le baptême, qui eut lieu dans les Ardennes, à Attigny. Cette soumission royale fut le dernier mouvement de la bête. Des évêchés, amorces de cités futures, furent érigés dans les pays saxons où ne survivaient plus que les lambeaux d'un peuple. L'ordre de Dieu régnait enfin.

Il fallut également soumettre la Bavière, où le duc Tassilon, quoiqu'il fût cousin germain de Charles, intriguait pour se constituer un royaume indépendant avec l'aide d'un nombreux peuple voisin, les Avars ; il fut amené à résipiscence et relégué dans l'abbaye de Jumièges après qu'il eut accepté de renoncer à son trône.

Puis il avait fallu se préoccuper des Avars eux-mêmes, établis plus loin encore, dans les plaines, au-delà du Danube – les Romains appelaient cette contrée la Pannonie. Ils menaçaient continuellement la Bavière, menaient leurs expéditions de pillage jusqu'aux portes de l'Italie. Quelque cinq ans de guerres furent nécessaires pour les abattre. Leur capitale était une vaste cité protégée par plusieurs fortifications concentriques ; ils détenaient là un gigantesque trésor, fruit de leurs rapines. Le roi s'en empara. Quinze chariots chargés d'or prirent le chemin d'Aix-la-Chapelle.

Or, cette nouvelle victoire était lourde de conséquences graves, quoique impalpables. Ce peuple, en effet, avait souvent inquiété Constantinople, qui avait dû payer tribut à plusieurs reprises pour écarter la menace. Et voilà qu'il était vaincu par le roi des Francs ! Charles avait en quelque sorte pris à sa charge cet ennemi terrible, et il l'avait brisé. C'était bien sûr un service rendu à l'Empire, mais en l'humiliant. Le monde pouvait savoir, maintenant, quel était le meilleur défenseur de la chrétienté.

Pour autant, le roi Charles n'aima jamais la guerre pour la guerre, ni la conquête pour la conquête. Le but de ses expéditions était moins d'agrandir ses États que de les garantir. Aux marches du *regnum*, il fondait des évêchés, installait des garnisons, nommait des comtes ou des ducs, et veillait à ce que tout fût pacifié avant de porter les armes en d'autres lieux.

On le vit bien en Espagne, où l'avait trompeusement appelé le gouverneur de Saragosse, en rébellion contre l'émir de Cordoue. La ville finalement lui résista ; il sentait derrière lui les Pyrénées, difficiles à franchir. Aussi ne voulut-il pas aller plus loin dans ce pays. Il n'y retourna qu'une vingtaine d'années plus tard, les Sarrasins ayant lancé de nouvelles expéditions contre les cités de Narbonne et de Carcassonne, et cette fois, parvint à y établir quelques avant-postes solides. Mais il n'avait pas oublié son premier échec. Il considéra que cet immense et sauvage pays de forêts et de montagnes était hors de portée. Il préférait borner son ambition au possible.

Il y eut bien d'autres guerres dont j'aurai à parler, mais je devrai traiter aussi de la paix, et de l'administration du royaume. Chaque automne, alors que s'achevaient les campagnes militaires, Charles regagnait ses séjours favoris, Aix ou Herstal, quand il ne fêtait pas Noël et Pâques à Pavie ou à Rome. Cinquante mille soldats se reposaient dans les cantonnements où les avait installés sa prudence. Les mois d'hiver étaient consacrés à l'administration du royaume et de ses trois cents *pagi*, où les comtes, ducs et marquis, choisis parmi les grandes familles franques, recevaient les envoyés du maître, porteurs des capitulaires où il disait ses volontés. Il se préoccupait de tout, de justice, de religion, faisant bâtir des églises, instituant des paroisses. Il instaura l'impôt de la dîme au bénéfice de l'Église. Aux monastères et couvents, il imposa la règle édictée jadis par saint Benoît. Un autre Benoît, Benoît d'Aniane, fut chargé de la faire prévaloir. Il fit condamner l'hérésie adoptianiste, et défendit, de concert avec Rome, le droit de peindre ou de sculpter des images du Sauveur, de la Vierge et des saints, pratique que Constantinople avait entrepris de contester.

Il exigea que tous les baptisés soient capables de réciter le Notre Père et le Credo de Nicée. S'il s'agissait d'enfants, on rendit obligatoire la présence d'un parrain qui saurait ces deux prières.

Il voulait que, partout, la religion fût le gardien de la vie humaine. On s'appliqua, comme cela avait déjà été entrepris en d'autres temps, à faire enterrer les morts autour des églises. On édifia un peu partout des clochers, dont le tintement disait l'heure du travail, du repos ou de la prière ; dans les plaines désertes, dans les vallons ombreux, ils marquaient l'axe, le centre, le foyer de toute vie.

Tout l'intéressait. Il songea au développement du commerce et apprit les grands principes de la monnaie. Il fut établi que celle-ci serait exclusivement frappée dans le palais de l'empereur, et l'on mit en circulation de nouveaux sous d'argent et deniers. « Que ces nouveaux deniers, écrivit-il, aient cours en tous lieux, dans toutes les villes, dans tous les marchés, et que personne ne refuse de les recevoir. Celui qui les refusera paiera quinze sous au trésor royal ou sera fouetté en place publique. »

Grâce à ces garanties, marchands saxons, lombards, bretons, grecs, purent exercer leur commerce, se portant d'un point à un autre par les rivières et les magnifiques routes rectilignes, pavées, qu'avaient tracées les Romains partout en Gaule, et que l'on tâchait d'entretenir. Il ordonna de supprimer de multiples péages, viatiques et autres droits de tonlieu, qui leur faisaient obstacle. Même les Sarrasins étaient bienvenus s'ils apportaient des denrées utiles. Il connaissait l'habileté des artisans et des négociants juifs ; alors que d'autres princes les avaient maudits comme les ennemis de Notre Seigneur, il les encouragea, lui, à s'installer dans ses États et dans ses villes. Ainsi le vin et les étoffes, les viandes, les cuirs, le bois de charpentage, les fourrures, les métaux, le poisson salé, les esclaves frisons ou saxons, les épices, la soie, l'ivoire, les fruits séchés, l'huile, le papyrus ou le parchemin circulaient-ils sur toutes les foires qui reliaient Aix, centre du royaume, à la Champagne, à la Bourgogne, à la vallée du Rhône, à la Provence et aux grands ports du Sud.

Mais si je veux exprimer ce que j'ai vu et compris au long de toutes ces années, il m'en faut revenir à mon point de départ, à ces jours décisifs de ma vie, lorsque cheminant de Fulda à Aix, je pus voir la réalité du monde humain. Du domaine familial, où j'avais grandi, à l'abbaye où j'étudiais, je n'avais rien vu ; j'étais un enfant. Pour la première fois, j'ouvrais les yeux.

Le monde ? C'était un matériau hasardeux, chaotique, composé de forêts, de rivières, de terre, de créatures animales et humaines qui semblaient tirées hier de la glèbe, et toutes souillées encore de la Chute. Des manses et tenures perdues dans des clairières ; des hameaux de torchis et de branchages, que peuplaient des rustiques vêtus de peaux, parfois encore adonnés à de vieux rites païens ; des chemins emboués, où perçaient encore par endroits les dalles des routes romaines ; des villes aux murailles effondrées, où les monuments antiques, théâtres et cirques désertés, arcs triomphaux, colonnades des forums, avaient servi de carrières pour les maçons et les chaufourniers.

Et qu'est-ce que tous ces gens savaient du monde ? Ceux des confins connaissaient le danger des Frisons ou des Slaves, des Maures ou des Hongrois (et maintenant, disait-on, sur les littoraux et les fleuves, de nouveaux pillards venus des îles du septentrion). Les autres n'en avaient que la menaçante légende, colportée par les marchands ou par les soldats rendus au *pagus* natal. Le monde leur était inconnu. Tout finissait, disait-on, dans les océans et les mers, mais la plupart n'avaient pas vu les océans et les mers, ils ne pouvaient même pas se figurer ce que c'était ; et les océans et les mers, eux, nous ne savons pas jusqu'où ils s'étendent. Cet univers était uniquement dans la main de Dieu ; tout ce qu'ils en voyaient, c'était l'horizon de leur contrée sous le couvercle du ciel, un cercle parfois lumineux et doux, parfois hanté de vents, de neige, et visité par les saisons, par la faim et la soif, par la guerre.

Mais au moins savaient-ils désormais que cet univers aux contours pleins de menaces et de terreurs avait un centre, un foyer actif et rayonnant : ils savaient que veillait le roi Charles. Ils en entendaient parler comme d'une déité lointaine. Avec un peu de chance, une fois dans leur vie, ils le verraient passer entouré de tout son arroi, lorsqu'il se déplaçait à Mayence ou à Valenciennes, à Worms ou à Quiersy, à Francfort ou à Ratisbonne, à Compiègne ou à Nimègue... Les imaginations lui prêtaient l'apparence d'un Christ en gloire, tel qu'il reviendrait au jour du Jugement. Ils savaient qu'il était là, qu'il voyait tout. Ses envoyés visitaient les territoires, établissaient la justice, vérifiaient l'impôt, indiquaient à chacun sa tâche, et cela rassurait. L'univers n'avait pas de contour, mais il avait un centre, duquel émanaient, au-dehors, le fer et le feu ; à l'intérieur, la loi.

Je n'ai plus jamais changé d'idée, ou pour mieux dire, de vision.

Ce sont les descendants de Caïn et d'Abel qui peuplent ce monde, cultivateurs, forgerons, bâtisseurs de cités, ou bien errant et cherchant leur pitance ; bourreaux ou victimes, meurtriers ou meurtris. Ce sont les descendants de Caïn et d'Abel qui peuplent ce monde indéfiniment plat. Ils sont misérables et sauvages, arrimés au besoin, au sempiternel besoin, sans autre visée ni autre but que la survivance du jour. Et Caïn a tué Abel.

Reste, pour ceux-là qui ont conscience de Dieu et qui possèdent les armes – et à qui Dieu semble justement les donner pour qu'ils agissent selon sa volonté –, à modeler et organiser ce matériel humain.

Une image me vient souvent à l'esprit lorsque j'y songe. J'ai vu en plusieurs lieux des paysans occupés à gratter le sol pour y recueillir des mottes faites de plantes pourries et de terre mêlées. Ils les pétrissent en briques approximatives et les mettent à sécher sur des claies. Puis ils en font du feu pour se chauffer, un feu qui charbonne et qui fume, mais qui dure longtemps ; ou bien ils les entassent pour en faire les murs de leurs maisons. Cette matière ingrate et pauvre, ils la nomment *turva* dans la vieille langue francique.

Or, de façon arbitraire mais mystérieusement significative, ce mot m'en évoque un autre, venu de la langue latine : *turba*. Celui-ci désigne le troupeau humain, la foule agitée d'un perpétuel désordre, qui ne sait ce qu'elle veut, ne connaît que ses besoins primitifs, ses peurs, ses haines. Les deux, *turva*, *turba*, se mêlent dans mon idée. L'humain n'est rien d'autre qu'un matériau à façonner, qu'un troupeau à faire obéir, par la raison ou par la crainte, par l'instruction ou le massacre s'il le faut. À quelques-uns, Dieu a donné les deux instruments nécessaires dans ce but :

l'épée, le livre. Rien ne se fait sans l'un, rien ne se fait sans l'autre. Le livre dit la règle et la loi, peu à peu définies par les sages de toutes les générations ; avec l'épée, on les applique. L'épée seule et sans maître blesse et tue au hasard ; le livre seul et sans l'épée, sa servante, crie muettement la vérité à des sourds.

Ce double travail d'imposition et d'édification, un autre mot le résume : *imperium*. Je l'ai déjà dit : c'est au plus profond des mots qu'il faut chercher le sens des choses. Les mots, les langues, sont le don de l'Esprit-Saint. Il faut regarder de très près ce que veut dire le mot *imperium*. Il provient de *parere* qui signifie « procurer », « mettre au monde ». Il y a dans ce mot de la fourniture et de la parturition, de la prévoyance et de l'apprêt. *Imperare*, qui est de même source, c'est féconder ; c'est insuffler la force et la solidité ; c'est définir le but ; c'est atteler le bœuf au char, c'est poser la pierre sur la pierre, c'est désigner l'arbre qui sera poutre, la bête qui sera viande, la graine qui sera fruit. *Regnum*, le mot où depuis quatre siècles se sont reconnus les chefs francs, se rapporte au rôle d'un homme. *Rex*. Celui qui régit. Le *regnum* est le pouvoir d'un homme ou d'une lignée. L'*imperium* est autre. L'*imperium* est l'organisation générale des êtres et des choses, qui n'a pas seulement pour but l'assouvissement ou la domination d'un seul. L'*imperium* est l'ossature d'un monde. C'est peut-être l'antique *logos*, la parole et le principe.

C'est ce mot qui, sans être encore prononcé, animait déjà les efforts de Charles. C'est ce mot qui serait prononcé à Rome, plus de trente ans après le début de son règne.

Et c'est ce mot qui se murmurait en moi lorsque je parvins, pour la première fois, dans sa capitale.

6

Urbs nova ab Carolus Magnus condita... Aix n'avait longtemps été qu'un très vieux domaine romain – qu'on appelait Aquis Villa en raison de ses sources d'eau chaude – tombé dans l'apanage des ancêtres de Charles. Son père Pépin, qui en appréciait le séjour, l'avait fait fortifier et doté d'une garnison.

Dans les temps qui avaient suivi mon arrivée, je pus constater qu'à ce legs paternel Charles s'intéressait de façon toute spéciale. Des chantiers étaient en cours. Des convois apportaient la pierre, le bois, les vivres pour nourrir les ouvriers employés là. Et de cette entreprise, j'allais bientôt comprendre la signification.

C'était en soi une idée neuve. La race franque n'avait jamais réussi à tenir en place. Charles ne faisait pas exception. Il était chez lui dans toutes les vieilles résidences romaines que s'étaient naguère appropriées Clovis ou Dagobert. C'étaient de confortables bâtiments édifiés autour de cours spacieuses, que surmontaient des tours de guet et qu'environnaient vergers, potagers et basses-cours ceints de murs, greniers élevés sur des pilotis. Là-dedans, les tapis, les vaisselles, les coffres, les braisiers, et puis les palefreniers, les boulangers, les maraîchers, une domesticité nombreuse et toujours prête... Charles en profitait abondamment, c'était pour son gouvernement une nécessité, il avait besoin de visiter ses États, d'imposer sa présence et d'imprimer sa marque.

Mais je compris bien vite qu'il rêvait désormais d'autre chose : il voulait que le *regnum francorum* disposât d'un centre permanent.

Il avait décidé que ce serait là. Il lui fallait un palais, un vrai palais ; il lui fallait tous les bâtiments nécessaires à l'administration ; et puis des écuries, des cantonnements, des greniers. Et il fallait que ce soit beau.

L'architecte Eudes, de Metz, accompagné de toute une équipe, fit le voyage de Ravenne, où le roi avait séjourné lors de sa première expédition contre les Lombards. Charles avait beaucoup admiré Ravenne, la dernière capitale de l'Empire romain en Occident. Il voulait quelque chose de comparable. Les techniciens revinrent avec des croquis, des mesures. Ils avaient étudié les bâtiments, les matériaux, les formes, les procédés qu'il fallait connaître pour que les hauts murs tinssent le poids des voûtes, que la lumière se distribuât largement et magnifiquement, que les ornementations représentassent des splendeurs paradisiaques : ils s'étaient approprié toute la science et l'art des sculpteurs, des mosaïstes, des verriers, des forgerons du bronze. Ainsi purent-ils édifier la chapelle de forme octogonale, ornée de mosaïques, où se trouvent des chapiteaux rapportés d'Italie.

Et moi, je n'avais pas encore voyagé dans ce pays, mais en voyant cela, je comprenais sa pensée. Nous étions des barbares, et le mieux que nous avions à faire, c'était d'apprendre.

Mais derrière cette volonté royale, il y avait une idée, évidente quoiqu'il ne l'exprimât point. C'était une idée politique.

Je l'ai dit déjà : Charles se comparait.

Il avait vu Ravenne, et il avait rêvé de composer autour de lui un décor de même splendeur. Mais il avait aussi ouï parler de Constantinople ; et bientôt de Cordoue, là-bas, dans le sud de l'Espagne, que l'émir Abdéramane embellissait à la manière de l'Orient.

Et l'on disait que le calife des ismaéliens, Aaron le Sage, qui se faisait appeler « l'ombre de Dieu sur terre », vivait dans les splendeurs de sa capitale, Bagdad, la ville ronde qu'avaient conçue les astrologues, avec ses deux enceintes, ses quatre portes, son dôme vert au centre. Cent mille ouvriers avaient participé à son édification. Haroun disposait également, au bord du fleuve Tigre, d'un autre palais, dit de l'Éternité bienheureuse, dont on contait mille merveilles : il y avait des jardins dont les arbres avaient des feuilles d'or, des salles entourées de colonnes d'albâtre. La favorite du calife possédait dix-huit mille robes, et portait sur elle tant de bijoux que deux servantes devaient la soutenir. Son singe favori disposait à lui seul de trente domestiques. Un poète chantait : « Ô Calife, vis longtemps au gré de tes caprices, à l'ombre des plus hauts palais ! Que matin et soir tout ce qui t'entoure s'empresse à satisfaire tes désirs ! »

Et Charles, instruit de ces récits, rêvait. À peine arrivait-il à croire, en songeant aux villes de son royaume, retranchées derrière des murailles de fortune, que les grandes cités d'Orient étaient peuplées souvent de dizaines, ou de centaines de milliers d'hommes. Alors, s'il aimait à retourner, l'hiver, dans le domaine de Herstal, berceau de sa race, Charles voulait donner à son empire un centre digne de rivaliser avec ces cités prestigieuses.

Ce que n'avaient jamais fait les rois francs, Charles le constituait. Il y avait des villes puissantes dans le monde : Bagdad, Constantinople. Il y avait le calife et le basileus. Ici, dans ces régions de l'Occident (*extremas occidentis regiones*), il y aurait une ville capable elle aussi de faire rêver les étrangers les plus lointains.

Et là, il y aurait le roi des Francs.

Mais déjà ce nom ne suffisait plus.

7

Comment l'idée se forma-t-elle ? C'est impossible à dire. Elle circulait dans les songes, elle circulait en toutes choses. Elle résultait de ces conjonctions à la fois hasardeuses, imprévisibles et logiques dont j'ai parlé.

Cela faisait longtemps que l'évêque de Rome considérait avec bienveillance les actes du roi, qui parvenait à étendre l'influence chrétienne sur de nouveaux peuples. Depuis le désastre des légions de Varus dans la forêt de Teutobourg, jamais plus l'ancien empire n'avait cherché à pénétrer la Germanie. Précédé par le grand évangélisateur Boniface, qui avait donné sa vie pour cette mission, Charles y avait porté ses armes et son autorité, cherchant à faire de toutes les populations qu'il avait soumises, germaniques et gauloises, un seul et même peuple chrétien.

Et Rome, la misérable Rome, abandonnée jadis par les empereurs, Rome humiliée par les Églises d'Orient, mais qui se savait siège de Pierre, auquel Notre Seigneur avait confié les clefs du Royaume, Rome observait cela.

Le grand pape Grégoire avait, le premier, montré la route. Toujours soumis à Constantinople, il était cependant devenu l'ami de la reine lombarde Théolinda ; de Récarède, roi d'Hispanie ; d'Ethelbert, qui dominait alors les îles britanniques ; et bien sûr des rois francs. À mesure que croissait le royaume de ces derniers, les successeurs de Grégoire l'avaient béni.

Sous le règne précédent, le pape Étienne II avait réclamé l'aide de Pépin contre le roi lombard Astolf, qui avait pris Ravenne. Il avait remercié en couronnant roi à Saint-Denis celui qui n'avait été, jusqu'alors, que maire du Palais. « Mieux vaut appeler roi celui qui détient la puissance que celui qui dispose du titre, mais n'a pas le pouvoir », avait-il jugé. C'en était fini des descendants de Mérovée et de Clovis. Ce que Pépin avait commencé en rossant le petit coq lombard, Charles l'avait continué en s'emparant une bonne fois pour toutes de sa couronne.

Ce n'était donc plus Constantinople qui avait protégé le siège romain contre les violences lombardes. Pas plus qu'elle n'avait su riposter lorsque les Sarrasins s'emparèrent de la Sicile.

Ce n'était pas tout. Le désordre régnait dans Rome même, et les successeurs de Pierre se voyaient contraints de le subir. Les grandes familles rivales de l'aristocratie romaine se disputaient à qui placerait l'un de ses rejetons sur le trône sacré. Lorsque fut élu

Léon, troisième du nom, qui était d'origine obscure et populaire, des conjurations se formèrent contre lui, et il dut prendre la fuite.

Alors il se rendit à Paderborn, où se trouvait le roi Charles, pour lui demander protection. Le roi voulut honorer la dette qu'avaient contractée envers lui ses ancêtres. Il enjoignit à ce malheureux pontife de regagner sa ville, en lui indiquant qu'il l'y suivrait de peu.

On était en décembre de l'an 800 de Notre Seigneur. Le dix-neuvième jour du mois, Charles entra dans Rome comme il l'avait promis. Les turbulents petits seigneurs locaux se retirèrent comme des chiens dans leur niche. Et le soir de Noël, dans l'église du Latran pompeusement décorée, Léon III le proclama empereur.

Ce fut comme un coup de tonnerre. Quatre siècles après l'abdication de Romulus Augustus à Ravenne, l'Occident redevenait un empire.

Je puis attester que personne, et Charles pas davantage, ne savait que l'évêque de Rome, cet homme si démuni, si faible, aurait la force intérieure de concevoir un projet aussi audacieux.

Ce couronnement, qu'il n'avait pas escompté, provoqua du reste chez le roi des sentiments contraires. Il n'était pas sûr de l'avoir voulu, il n'était pas sûr de le vouloir. Il tremblait en secret devant cet écrasant hommage qu'il ne put refuser publiquement. Coiffer cette couronne, c'était, malgré qu'il en eût, s'en reconnaître digne ; et il n'était pas sûr de l'être. Aucun acte, tout au long de sa vie, n'avait eu d'autre ambition ;

mais cette ambition, il ne l'avait pas avouée, sans doute n'avait-il pas même osé la concevoir, même en secret ; voici qu'elle était reconnue, brandie à la lumière, et légitimée. Ce qu'il n'avait pas eu l'audace de se dire à lui-même, le pontife de Rome le lui disait. Or, nous sentons bien que ce qui est en nous et que nous ignorions, et qui surgit, n'est pas notre œuvre : c'est l'œuvre de Dieu, à moins que ce ne soit celle du diable. Charles connut cette incertitude et cette terreur.

Il ne pouvait toutefois s'y dérober. Tant de considérations lui disaient de s'en réjouir ! En ce jour et en lui s'accomplissait la gloire du peuple franc, dont Clovis, trois siècles plus tôt, avait inscrit les prodromes : on ne pouvait l'espérer plus éclatante. D'autre part, quoique Charles ne l'eût jamais sollicité, il était évident que, depuis les victoires de Charles dit le Martel et le couronnement à Saint-Denis de son père Pépin, l'*imperium* se plaçait au bout de la route suivie par la lignée ; il en était le but, elle y menait, quoique personne ne l'eût dit jusqu'alors, ni compris. Et peut-être était-ce aussi le dessein de la divine providence.

À ce scrupule intérieur, qui lui faisait redouter de n'être que le profanateur ou l'usurpateur de ce qu'il respectait et admirait de toute son âme, s'ajoutaient les dangers qu'un tel coup de force allumait contre la papauté et contre lui-même. Car c'était, de la part de l'évêque de Rome, un acte inouï d'orgueil. Léon III donnait une ruade dans la vieille allégeance de Rome à Constantinople, allégeance toujours pesante et toujours subie, toujours acceptée et toujours contestée. En s'attribuant le pouvoir de faire un empereur, il affirmait détenir entre ses mains la puissance divine – à tout le moins, y participer. Il y aurait désormais en Occident un empereur et un pape, les deux moitiés de Dieu. C'était un camouflet à la face de Constantinople. Comment la métropole, déjà souffletée par l'assaut mahométan, pourrait-elle tendre l'autre joue à l'Occident chrétien ?

Le pontife, toutefois, avait pesé les risques avec assez de finesse.

L'empire d'Orient n'avait cessé de s'affaiblir. Constantinople n'avait pas su défendre le monde chrétien. Certes, elle avait victorieusement résisté, par deux fois, au siège sarrasin. Mais d'immenses provinces avaient été perdues, et leurs populations s'étaient soumises sans grande résistance aux nouveaux maîtres. Il y avait une raison à cela : Constantinople n'appliquait plus l'*imperium*, mais la tracasserie. L'*imperium* doit se justifier en apportant autre chose aux hommes que l'impôt. La puissance franque, pendant ce temps, n'avait cessé de s'affirmer, de la Saxe à l'Italie, du pays des Avars à l'Aquitaine et aux marches d'Espagne. Elle était maintenant la charpente de la chrétienté.

Il s'y ajoutait une circonstance particulière. À Constantinople, en ce moment, régnait Irène, dite l'Athénienne. Elle présentait une faiblesse que le pape, sans doute, avait repérée : elle n'était pas légitime, on pouvait démontrer qu'elle usurpait le trône qui eût été dû à son fils.

Trente ans plus tôt, sa séduisante jeunesse, produite dans la ville par une famille obscure, mais ambitieuse, avait été remarquée par l'empereur alors régnant, qui la donna en mariage à son fils. Devenue *basilissa*, la mort précoce de son mari l'avait laissée régente, en tant que mère d'un petit Constantin trop jeune pour régner.

Irène prit goût au pouvoir suprême. Bien que femme, elle avait des idées politiques, qui cependant n'étaient pas toutes mauvaises. Les relations avec Rome, depuis des décennies, avaient été empoisonnées par la querelle des images. Trois ou quatre décennies plus tôt, Constantinople, sur ordre de l'empereur Léon, avait interdit et réprimé la représentation des personnages de l'histoire sainte par les mosaïstes et les peintres, chose que Rome, au contraire, jugeait licite à condition que l'on ne vénérât point l'œuvre, mais son contenu. Afin d'apaiser la controverse, Irène autorisa à nouveau cette pratique. Elle ne voyait pas pourquoi on avait tant cherché à faire plaisir aux mahométans, qui, eux aussi, se méfiaient des représentations. Elle fit donc rétablir par un concile la licéité des images.

Par ailleurs, elle sut se prémunir contre de nouvelles entreprises des Sarrasins, en établissant la paix avec le calife Haroun. Une paix onéreuse, certes, mais nécessaire. Tout cela était bel et bon.

Mais à côté de cette sage politique, elle avait commis une faute inexpiable. Parvenu à l'âge de vingt ans, son fils avait légitimement revendiqué le pouvoir ; se refusant à le lui transmettre comme elle aurait dû le faire, puisqu'elle n'était que régente, elle ordonna de l'arrêter et de l'enfermer. S'ensuivit une sédition ; ce fut son tour d'être écartée du trône et recluse au château d'Eleuthère, sur la Propontide.

Elle s'inclina, feignit de se repentir, et donna tant de gages de soumission que son fils Constantin accepta qu'elle revînt à la cour. Mal lui en prit. Constantin, trop longtemps étouffé par cette mère qui s'était ingéniée à le rendre inapte au gouvernement, était déjà lui-même contesté. Il ne donnait pas satisfaction. Elle intrigua, trouva des appuis. Pour finir, elle le fit arrêter à nouveau, et, pour qu'il ne puisse plus jamais revendiquer le règne, elle ordonna de lui crever les yeux. On dit qu'elle demanda en secret que les poinçons s'enfonçassent assez loin dans ses orbites, afin qu'il en mourût – ce qui arriva en effet.

C'était un crime et pire encore : une faute. Le souvenir de cette usurpation monstrueuse, qui avait horrifié la chrétienté, lui laissait peu de légitimité pour s'opposer frontalement au couronnement de Charles. Aussi ne l'essaya-t-elle pas. Au demeurant, elle avait du bon sens, et il lui semblait logique que les chrétiens s'unissent. Elle avait déjà, quelques années plus tôt, envisagé qu'une des filles du roi Charles fût destinée à la couche du jeune Constantin (c'était avant qu'elle ne le mît à mort). Elle pensait alors qu'on ferait un pas décisif vers la réunification de l'Empire chrétien ; et nul doute que les Francs, peuple inférieur, se sentiraient honorés d'entrer ainsi, par la chair et le sang, dans l'orbe de l'empire.

Cette hypothèse écartée, elle conçut un autre projet, auquel Charles ne s'opposa pas tout à fait : un mariage entre elle et lui. Des ambassadeurs en parlèrent.

Mais ce roi franc, à ses yeux, n'était pas franc. Inquiet de la présence sarrasine au sud de ses possessions, il rêvait de jeter bas l'émirat de Cordoue, en Espagne, lequel était entré en rébellion contre Bagdad ; et dans ce but, il passait des pactes secrets avec les partisans du lointain calife. Il avait obtenu de ce dernier qu'il laissât les chrétiens se rendre en pèlerinage au tombeau du Christ.

Qu'il combattît les sectateurs de Mahom, elle l'approuvait. Mais elle pressentit, soupçonna autre chose : ce n'était pas seulement pour nuire à l'émir de Cordoue, Abdéramane, que Charles poursuivait cette alliance contre nature, abominable aux yeux de Dieu : c'était pour consolider le royaume franc face à Constantinople elle-même.

Elle savait dans le même temps qu'il se faisait construire une capitale, du côté des mers nordiques. Elle l'avait compris, elle en était sûre : les Francs, qui n'avaient dû leur pouvoir qu'à l'assentiment de Constantinople, voulaient maintenant la défier.

Tout s'acheva deux ans après le couronnement. Elle avait trop ouvertement pratiqué le favoritisme, s'attirant des partisans par des remises d'impôts, s'entourant d'eunuques auxquels elle n'hésitait pas à prodiguer les hautes nominations. Un nouveau coup d'État porta au pouvoir Nicéphore dit le Logothète, le surintendant des Finances. Elle fut exilée dans l'île de Lesbos où elle termina sa vie dans la pauvreté : elle devait filer le lin pour gagner de quoi se nourrir.

La gloire de Charles achevait ainsi de s'établir sur l'opprobre et la disgrâce de l'impératrice Irène, punie d'avoir défié les lois divines et humaines.

Deux hommes désormais dominaient le monde : le chrétien Charles et le mahométan Haroun.

Et moi, Nardulus, moi qui ne suis rien ni personne, sans autre mérite qu'un peu de science et beaucoup d'application, qu'un peu de chance et beaucoup de vénération, moi, Nardulus, j'aurai vécu dans un repli de ce manteau de gloire. Moi, Nardulus, j'aurai été ce minuscule personnage d'enluminure qu'on voit accoudé au pupitre, occupé à tracer des lettres que le roi ne savait point tracer...

8

Et aujourd'hui je crains que nous ne soyons plus que nuit et néant. Je suis vieux... Le corps se disloque. L'Empire aussi. Tout un monde que nous avons édifié risque l'effondrement. Je n'ai plus guère envie de connaître l'état des affaires du palais, car rien de ce qui s'y fait ne me plaît à savoir. Peut-être, je le redis, ce que j'éprouve n'est-il que la lassitude d'un vieil homme, qui s'imagine, parce qu'il entrevoit sa propre fin, apercevoir celle de toutes choses. Peut-être ne faut-il pas écouter les vieux hommes. Le monde qui viendra sera fait pour d'autres que nous, qui ne sauront pas ce que nous avons su, n'auront pas vu ce que nous avons vu, ignoreront tout de nos plus extrêmes pensées, mais sauront autre chose, mais verront autre chose, mais penseront autre chose, et vivront, et peut-être accompliront des prodiges que nous ne pouvons pas même concevoir. La créature, de longtemps si habituée aux misères, la créature rouée de coups du sort et de malédictions, corroyée de tyrannies, de guerres, de maladies, de disgrâces, possède en elle cette mystérieuse et divine faculté de vivre et d'espérer. Je m'étonne quand je vois nos plus misérables sujets s'acharner, travailler, procréer, mettre au monde, vouloir coûte que coûte, envers et contre tout, un lendemain qui ne sera pas meilleur que la veille. Quelle est cette force obstinée, aveugle, que Dieu a mise aux reins des hommes et aux ventres des femmes ? L'instinct de la brute et l'ignorance du nouveau-né, de l'*infans*, de celui qui n'a pas de parole et pas de conscience, seraient-ils en fin de compte le bouclier de la race humaine ? Une poussée puissante, irrésistible, derrière des yeux aveugles et un entendement bien court : telle est la condition de l'humanité pérégrine...

Est-ce à cause de ce mot, « pérégrine » ? Me revient à la mémoire ce vieux mendiant juif que nous vîmes à la cour, il y a bien longtemps. Je ne sais par quel artifice il s'était introduit là ; il voulait absolument parler au savant Makhir, le rabbin des juifs de Provence et de Narbonnaise, qui pour lors était notre hôte. Il prétendait avoir vécu du temps de Notre Seigneur, et deux ou trois heures durant il parvint à nous divertir par le récit fabuleux de tout ce qu'il avait vu depuis lors... Sa folie était étrangement convaincante, et, après avoir retenu nos rires, nous fûmes gagnés par la compassion qu'inspirait son angoisse. Le malheureux se demandait ce que sa race avait bien pu faire pour que l'Éternel s'en détournât ainsi, oubliant la promesse faite à Abraham et à Moïse, jetant le peuple hébreu sur tous les chemins du monde, soumis à la malédiction générale et perpétuellement errant... Oui, parfois je repense à ce misérable, que nous consolâmes d'un peu d'or, mais dont l'inquiétude me paraît quelquefois semblable à la mienne. Qu'est-ce que Dieu veut de nous, au fond ? N'avons-nous pas encore assez expié la désobéissance de nos premiers parents, et l'orgueil qui leur fit croire qu'ils sauraient le secret du bien et du mal ? Combien de temps cela durera-t-il ? Combien de fois la chute originelle se reproduira-t-elle ?

Aux lendemains du triomphe, déjà, les forces secrètes de la division, de la destruction, se ranimaient sourdement. En la trentième année du règne de Charles, et la cinquième de son empire, je fus chargé d'apporter à Rome le projet de partage qu'il avait établi entre ses trois fils.

Nous autres, ses conseillers, ses fidèles, étions tourmentés de cette disposition qu'il avait prise en écoutant la tradition de ses ancêtres. Nous savions quelque chose qu'il ne voulait ou ne pouvait pas entendre, et que nous étions peut-être trop timides, nous mêmes, pour mettre au jour. Nous avions conservé les chroniques de Grégoire et de Frédégaire, et nous examinions toute l'ancienne histoire. Et nous savions combien de fois les partages successoraux avaient menacé, compromis et ruiné la paix civile de la République chrétienne. Nous savions que jamais les anciens empereurs de Rome n'y avaient consenti. Aux yeux de Charles comme de ses prédécesseurs, la royauté d'un homme et de sa lignée était une chose sainte ; il faisait ce qu'il voulait de ses territoires. Mais Rome, et Constantinople encore aujourd'hui, s'étaient dotées de lois permettant la conservation de l'État sous une autorité unique et perpétuelle.

Charles disposait de son empire au profit de ses trois fils. C'était un péril.

La providence parut veiller : deux d'entre eux moururent avant de régner, et le seul Louis, que nous appelons le Pieux, recueillit entre ses mains la totalité de l'Empire lorsque le roi Charles rendit l'âme. Cela fait quinze ans maintenant, et il s'y consacre avec courage, certes, mais sans jamais parvenir à juguler les appétits de sa propre descendance. Car à son tour, quoique préservé lui-même, par la mort de ses frères, de ces dangereuses rivalités, il a déjà distribué et morcelé le pouvoir.

C'est qu'il n'est point aisé de rassembler, sous une unique impulsion, un aussi vaste empire. Son fils Pépin eut pour mission de gouverner l'Aquitaine ; Louis fut envoyé en Bavière ; Lothaire demeura auprès de l'empereur. Ce n'était pas une mauvaise hiérarchie. Mais Bernard, son neveu, qui avait hérité la vice-royauté sur l'Italie, prétendit bientôt se conduire en monarque indépendant et agrandir ses territoires. Cédant à des conseils imprudents, il franchit les Alpes et envahit la vallée du Rhône. Défait à Châlons, il fut condamné à mort par une assemblée tenue à Aix-la-Chapelle, ce qui précipita l'empereur dans d'horribles remords.

Ce n'était pas tout. L'empereur avait introduit dans son lit de veuf une nouvelle épouse, Judith, et celle-ci intrigua bientôt pour que son rejeton, également nommé Charles, eût part à l'héritage impérial. Cette revendication déchaîna la colère de ses demi-frères aînés. Louis dut plier devant un de ses fils, Lothaire ; aujourd'hui, empereur par le seul titre, il ne gouverne plus qu'en négociant à tout instant la bonne volonté des uns et des autres.

Tout cela me désole. Louis, que j'ai moi-même instruit et élevé, n'a jamais dédaigné de prendre mes conseils, en élève reconnaissant ; mais s'il les écoute poliment, il ne les suit pas. Je me sais désormais relégué, impuissant. Et moi, le plus humble serviteur, je ne puis empêcher l'amertume de se mêler dans mon cœur avec la lassitude.

Une nouvelle menace est apparue sur les mers nordiques et occidentales. Depuis les rivages de la Seine et de la Loire, nos paysans et les bourgeois de nos cités ont pu voir des nefs inconnues remonter lentement les fleuves. Ils viennent du septentrion, où se trouvent des terres dont nous ne savons rien. Nul ne comprend ce qu'ils disent, mais on voit très bien ce qu'ils veulent : le pillage. Certains sont d'avis que le roi de Danemark les envoie, à dessein de venger Widukind et les Saxons, qui étaient ses alliés.

Rien ne perdure, en somme. La gloire du roi Charles est passée comme un magnifique charroi orné de fleurs et d'or, environné de fanfares ; il s'éloigne maintenant. Le temps de l'homme ressemble à celui des saisons. Lorsqu'à la fin du printemps la lumière est la plus éclatante, une secrète angoisse dit à l'homme que va commencer la descente dans la nuit. Et quand la nuit s'est faite, avec le vent, le froid, la neige et le retour des loups, c'est la venue du Sauveur qui le console : la lumière va renaître. Tel est le rythme des saisons, tel est aussi le rythme des jours, entre l'éveil et le sommeil. Mais la nuit recommence, et l'espoir recommence, et le jour se refait, et la nuit se refait... Combien de fois ai-je désiré que le jour ne se lève pas, le jour, ce maître, ce bourreau qui nous appelle à l'effort, aux fatigues, aux combats, aux déceptions, avant que nous ne retombions, défaits, sur notre couche.

Le Sauveur nous a promis, cependant, que la cité terrestre et pérégrine s'avançait vers le Royaume. Mais je vois que, loin de s'en approcher, elle retombe dans les mêmes pièges, semble revenir sur ses pas ou accomplir un cycle qui se répète, indéfiniment. La chute originelle recommence à chaque âge de l'humanité. Je ne sais plus que penser et que croire. Il me semble en certains moments que l'espérance et la foi ont déserté mon cœur. Il serait peut-être temps, ô mon Dieu, que vous m'appeliez, et que je m'absente.

Troisième partie

Les semelles d'Ahasvérus

1

Jérusalem, année hébraïque 4571
(an 810 du Christ ; an 188 de l'hégire)

Ce fut dans les jours précédant la Pâque des juifs et des chrétiens que le cadi de Jérusalem, toujours nerveux et inquiet à cette période de l'année, fut alerté sur le risque que faisait courir à l'ordre public une sorte de mendiant fou, qui s'était installé non loin du mur de Bourak, en plein cœur de la ville. Observants de la Torah aussi bien qu'adorateurs de Jésus, chacun pour leurs motifs, se plaignaient qu'il provoquât par ses discours étranges et grotesques des attroupements, des controverses bruyantes, des rires, toutes choses qui nuisaient à la solennité et de ces jours, et de ces lieux.

Il prit au sérieux cette information. Maintenir la paix civile et l'ordre à Jérusalem avait été de tout temps une tâche délicate, réclamant prudence et doigté. On y laissait venir les juifs, afin qu'ils puissent psalmodier tout leur content devant ce fameux mur, seul vestige de leur ancien Temple ; ils payaient à cet effet leur droit d'entrée dans la ville, ce qui était d'un bon rapport. Mais on y accueillait aussi les chrétiens, depuis que le calife Haroun avait noué des relations pacifiques et amicales avec l'empereur des Francs, et ils venaient chaque année plus nombreux commémorer la mort et (disaient-ils) la résurrection du prophète Ieschoua. Tout cela, dans la période pascale, créait une exaltation de foule et des voisinages souvent agités. Chrétiens et juifs, en général, se détestaient entre eux, c'était ainsi ; le cadi à la vérité s'en moquait, car il méprisait les uns comme les autres, mais son rôle était d'empêcher que leur vieille haine donnât lieu à des empoignades. Ils arrivaient là chauffés par la longue impatience du voyage, surexcités par l'imminence de leurs fêtes. Le feu pouvait partir à n'importe quel moment, de n'importe où. Il prit donc avec lui une demi-douzaine de gens d'armes et se rendit sur les lieux pour se faire par lui-même une idée de ce qui se passait.

Non loin du mur de soutènement aux pierres cyclopéennes, au-dessus duquel s'élevait la mosquée d'Omar, on faisait cercle, en effet, autour d'un vieillard qui parlait. Était-ce un vieillard, d'ailleurs ? Tous les vagabonds de sa sorte sont hors d'âge. L'homme était maigre, vêtu de hardes ; son visage était comme minéralisé par la poussière et la crasse. Des piécettes de cuivre, jetées à ses pieds par des auditeurs compatissants, en appelaient visiblement d'autres.

Le cadi, se tenant à quelques pas, interrogea au hasard les badauds attroupés. Témoignages et quolibets se mêlaient :

– Il dit avoir vu de ses yeux brûler le Temple lorsque l'armée de Titus prit Jérusalem.

– Il dit avoir vu Alaric saccager Rome…

– Il dit avoir connu Clovis, roi des Francs, et le *gaon* de Bagdad…

– Il dit avoir vu le taureau de fer dans lequel fut brûlé l'empereur Phocas !

Un autre homme s'avançait, plaidant pour le misérable :

– Je sais que tout cela est impossible. Mais il a raconté comment un juif de Clermont, dans les Gaules, jeta un vase d'huile rance à la face d'un converti. Cet homme était mon aïeul, et à la suite de ce geste, tous les nôtres durent quitter la ville. Ce mendiant n'a pas pu l'inventer !

– Allons ! Il l'aura entendu dire… Cet homme est fou. Il prétend même avoir vu crucifier Jésus le Nazaréen, et que ce jour-là la terre a tremblé et les morts sont sortis des tombes.

– Oui ! C'est là ce que prétendent les chrétiens, pour faire croire que leur Ieschoua était le Messie. Ils en disent bien d'autres, et de même farine…

– Blasphème ! Juif infâme ! *Chrestos anesti !*

Des murmures s'élevèrent, le ton montait, et le cadi se crispa. Ce genre de dispute pouvait s'enflammer comme un fagot d'épines, et toute cette racaille chrétienne et juive aurait tôt fait d'en venir aux mains. D'un geste, il imposa le silence à tous, et fit signe à ses hommes d'armes de lui dégager le chemin. Puis il s'avança vers le vagabond et le toisa.

– Quel est ton nom ?

– Ahasvérus.

– Quel est ton état ?

– Je sais le métier de savetier.

– D'où viens-tu ?

– Il y a douze lunes, j'étais à Salonique, que j'ai dû fuir, car les Avars la menaçaient. Et douze lunes plus tôt encore, j'étais au bord du Rhin, qui coule dans le pays des Francs.

– Où es-tu né ?

– Ici.

– Quand était-ce ?

– Au temps du roi Hérode.

À nouveau des rires, des sifflets et des récriminations s'élevèrent alentour. Une fois encore, l'homme de loi s'impatienta, et ses gens d'armes bronchèrent, ce qui suffit à ramener le silence.

Le cadi promena sur cette scène immobile un regard qu'il voulait menaçant. En réalité, il hésitait. Il aurait pu faire jeter au cachot cet homme qui causait, sinon le désordre, du moins la dissipation, ce qui pouvait aboutir à des débordements. Cependant il se méfiait. Il représentait un pouvoir que beaucoup de ces gens détestaient en secret, et, s'il se montrait trop brutal, la même assistance qui brocardait le vieux fou ou se scandalisait de ses propos pourrait en un instant se retourner et prendre fait et cause pour lui ; qui, d'ailleurs, à y regarder de près, ne paraissait pas bien dangereux.

En fin de compte, le mieux était d'éliminer le problème sans chercher à en comprendre davantage.

– Bien, dit-il au vagabond. Tu vas déguerpir. Si jamais je te revois par ici, je te fais donner cent coups de bâton.

– Où irai-je donc ?

– Où tu voudras. Mais hors les murs. Exécution immédiate.

Maussade, la tête inclinée, le nommé Ahasvérus se mit lentement sur pied, ramassa ses petites pièces et se saisit de sa besace. Il était vêtu d'un empilement d'oripeaux indescriptibles, des laines, des bandages, à se demander s'il y avait un corps de chair et d'os dans tout cela. En outre, il puait. Les gens d'armes le toisaient, peu amènes. Le cadi lâcha un rire bref et secoua la tête :

– « Au temps du roi Hérode !... » répéta-t-il avec un mélange de moquerie et de pitié dédaigneuse.

Mais l'homme se retourna vers lui, et, d'une voix triste et douce :

– C'est pourtant vrai, dit-il.

2

Jérusalem, huit siècles plus tôt

Le condamné chancelait sous le lourd *patibulum*, une poutre de bois longue de cinq coudées, qu'il devait porter jusqu'au lieu du supplice. Il avait d'abord été sérieusement flagellé, ce qui l'avait affaibli. Ses cheveux, ensanglantés par le tressage de ronces dont l'avaient coiffé ses gardiens, pendaient sur son visage tuméfié.

Les curieux s'étaient massés en nombre sur son passage. Cette exhibition publique du châtiment était nécessaire pour donner à réfléchir à tous, et le peuple semblait le sentir, puisqu'il était là. Singulière harmonie du pouvoir qui domine et de ceux qui sont dominés... Certains regardaient avec l'horrible curiosité de la foule envers tout ce qui saigne et souffre ; d'autres, avec pitié ; d'autres, avec une expression farouche de révolte contenue. Quelques-uns l'insultaient, mus par le zèle servile que n'importe quelle autorité parvient à susciter autour d'elle.

Le pauvre diable s'était immobilisé. C'était comme s'il ne voyait plus rien. Une femme s'avança et lui tamponna doucement le visage avec un linge. Il leva sur elle un regard absent. Voyant qu'il n'allait pas s'en sortir, et soucieux d'en finir au plus vite avec cette affaire dans une Jérusalem surexcitée, l'officier chargé d'encadrer l'exécution avisa un homme au premier rang de la foule, à qui il ordonna d'aider le condamné à soutenir son fardeau.

Cet homme, c'était lui, Ahasvérus. Oui, c'était lui, et quoi qu'en disent les rieurs, huit siècles plus tard, il se souvenait encore de ce moment, il s'y revoyait.

Sur le moment, il s'était détourné en grommelant, rejetant l'ordre. Il n'avait aucune sympathie pour le condamné, et surtout il estimait qu'un Romain n'avait pas à lui imposer une telle besogne ; c'était l'affaire de ses soldats. Le Romain, à l'évidence, lui eût volontiers donné sur les épaules du plat de son glaive, mais il dut craindre que cette populace versatile ne prît soudain son parti, et, dans l'ambiance surchauffée qui avait entouré l'arrestation et le procès, il avait sans doute reçu pour consigne d'éviter le moindre dérapage. C'est pourquoi, haussant les épaules, il n'insista pas et fit signe à un autre, qui s'exécuta ; c'était un juif d'une lointaine province, qui se trouvait à Jérusalem pour la Pâque.

Plus tard, Ahasvérus regagna sa maison. Tout en lui était trouble et maussaderie. Il se reprochait d'avoir voulu assister à cette mise à mort. Il n'aimait pas tout cela. Certes, la prédication de Ieschoua, qui bravait l'autorité du Temple et se prétendait Dieu, était impie et semait le scandale ; pire encore, elle incommodait les Romains, qui savaient avoir la main lourde et l'avaient montré d'autres fois. Mais sa condamnation, réclamée pour complaire aux mêmes Romains par tous ces vieux *saddoukim* opportunistes, portait tort à l'ensemble des juifs ; l'homme après tout se déclarait fidèle à la loi de Moïse. En somme, de quelque point de vue qu'on l'envisageât, cette histoire ne sentait pas bon.

À la fin de l'après-midi (et cela aussi était vrai, Ahasvérus s'en souvenait très bien) éclata sur Jérusalem un orage si violent que l'on crut que la terre tremblait ; on sut le lendemain que quelques vieilles baraques des faubourgs s'étaient effondrées, emportées par le ruissellement, et que des pierres verticales qui fermaient les tombes creusées dans la roche avaient glissé dans la terre ameublie.

Ahasvérus, lui, était demeuré inactif, tourmenté. Avoir été mêlé, si peu que ce fût, à la marche du condamné vers la torture ultime lui faisait inexplicablement peur. C'est comme s'il avait été désigné par la main d'ombre qui écrivit *Mané, thécel, pharès* au mur du palais de Balthazar. Il s'étonnait de cette angoisse : en quoi avait-il péché ? Le soir, il ne parvint pas à trouver le sommeil. Il se tortillait et se retournait sur sa couche comme un poisson sur le rivage.

C'est alors, en pleine nuit, qu'il fut pris d'un irrépressible besoin de marcher. C'était absurde. Le mieux eût été d'attendre, quitte à voir se lever l'aube sans avoir dormi. Mais cela lui était impossible. Sa poitrine était oppressée, son menton tremblait. Un démon le secouait, le bourrait de coups, l'arrachait au repos. Enfin il se leva et, en soupirant, quitta sa maison.

Il alla par les ruelles endormies, parvint à la poterne d'Ephraïm, où personne ne veillait, et sortit de la ville. Ses pas le portaient, comme décidés en lui par une force inconnue. Son estomac était noué. C'était une impatience, une fièvre. Au bout d'un long moment, la fatigue le saisit ; il crut que le sommeil venait et pensa rebrousser chemin, mais il ne le fit pas. Il le voulait, mais quelque chose en lui s'y refusait. Le chemin du retour lui était interdit. S'il se retournait dans cette intention, il lui semblait qu'un mur tombait devant ses pas. Il marcha encore, au hasard. À la fin, épuisé, il s'assit au pied d'un arbre, enveloppé dans son manteau, et là il s'endormit.

Quand il s'éveilla, le ciel s'éclaircissait. Il frissonnait et, croisant les bras, il se battit les épaules et les flancs pour se réchauffer. Une fois encore il envisagea de marcher vers la ville, mais à nouveau, comme pendant la nuit, il s'en découragea. La simple raison le recommandait ; mais il ne le voulait pas, ou plutôt ne le pouvait pas. C'était au-dessus de ses forces, un peu comme si on lui avait demandé de s'avancer pieds nus sur un tapis de braises. Sitôt qu'il se tournait en ce sens, ses jambes refusaient tout service. Même immobile, les braises étaient sous lui.

Il se résigna à cheminer et longea la vallée du Cédron. Il pourrait toujours entrer par une autre porte, quand cette humeur bizarre se serait dissipée en lui. Mais les heures passèrent et ce fut sans succès. Il songeait à ses commandes, à sa clientèle. Il voyait les sandales alignées près de son établi, il voyait les lanières, les peaux tannées, les chanvres, les alênes, les poinçons, les fils à coudre, la glu. Il en sentait l'odeur familière. On le chercherait, on le cherchait déjà sans doute, on demandait aux voisins pourquoi il n'était pas là. Personne ne savait.

Toute la journée durant, il erra dans les alentours de la cité. Son regard se posait sur la silhouette massive de la forteresse Antonia, sur les contreforts du palais d'Hérode, et puis sur les trois croix dressées la veille au Golgotha ; celle du milieu était vide ; des oiseaux de proie s'agitaient autour des deux autres, où pendaient toujours les corps des suppliciés.

Les croix. La croix de Ieschoua, vide, et celles des deux brigands exécutés en même temps que lui. Oui, il les avait vues de ses yeux. Et huit siècles plus tard, dans cette même ville, quelles que fussent les moqueries, il n'en démordait pas. Il les avait regardées, ces croix, il s'était même demandé fugitivement si les deux autres condamnés étaient morts à présent, ou agonisaient toujours en suffoquant, les avant-bras déchirés par les clous, les épaules douloureusement tendues et agitées de spasmes.

Eh oui, la croix du milieu était vide.

3

Les jours qui suivirent confirmèrent l'espèce de mauvais sort dont il semblait être l'objet. Il lui était vraiment devenu impossible de regagner la ville et sa maison. Chaque fois que l'envie lui en prenait, chaque fois qu'il le décidait et convoquait ses forces dans ce but, il sentait un refus ou une interdiction monter de tout son être face à elles. Il soupirait par moments, il tapait du pied. Il lui arriva de pleurer.

Alors, il continua d'errer dans les environs de Jérusalem.

Et cela dura une décade, puis plusieurs décades, puis des mois. Il ne se rebella plus, ses impatiences cessèrent. Ceux qui le reconnaissaient lui demandèrent quelquefois la raison de ce comportement. Il ne savait que répondre, et par conséquent ne répondait rien. On le jugea devenu fou. On ne s'en étonnait guère. Il y avait tant de loqueteux, d'aveugles et d'imbéciles !

Ça n'en faisait qu'un de plus. Les vieux et les vieilles affirmaient que de tout temps l'on avait vu de ces possédés qui un beau jour ne supportaient plus leur maison et dès lors marchaient indéfiniment, semblant toujours fuir ou chercher quelque chose, ou bien s'en allaient vivre parmi les tombeaux en tenant des propos incompréhensibles. Celui-là du moins n'était pas enragé. Peu à peu, on s'habitua à lui, et bientôt, plus personne ne sut, ou ne se demanda, depuis combien de temps il errait.

Les années passant (car les années passèrent), ce fut comme si on l'avait toujours vu ; et, les enfants accédant à l'âge adulte, cela devint une réalité : on l'avait toujours vu. Il faisait partie du paysage. On lui jetait l'aumône et quelquefois, comme on savait quel était son métier, on lui donnait un peu de travail. Il savait repriser une paillasse, graisser des bottes, ravauder une sandale ou le bât d'un âne.

Lui, ne mesurait plus le temps, ne comptait plus, ne se demandait plus rien. Il regardait la ville, de loin, et par moments il souffrait quand même à l'idée que la vie se poursuivait là-bas dans les échoppes, les marchés, les ruelles, avec ses rituels, ses conversations animées – et qu'il n'en était plus. Cette ville avait été son monde, il en connaissait toutes les pierres, tous les coins de rues. Elle était tout pour lui, comme pour un enfant la présence maternelle. Sans trop savoir pourquoi, il pensait en particulier à la piscine de Siloé, qu'alimentait un tunnel percé du temps d'Ézéchias afin d'alimenter la ville en eau en cas de siège. Cette piscine, qui avait contribué au salut de la ville lorsque les Assyriens l'avaient encerclée, demeurait sacrée. Lors de la fête de Soukkot, on y puisait de l'eau qu'une procession apportait jusqu'au Temple. L'image de ce vaste bassin où descendaient des marches le hantait. Et il était triste de songer qu'il ne pourrait sans doute plus jamais s'y rafraîchir.

Mais pour peu qu'il eût encore la velléité de s'approcher, ce qui lui arriva bien des fois, son corps se faisait lourd, ses pas se dérobaient, une interdiction se déclarait en lui et il s'éloignait encore. Une puissance inconnue disait catégoriquement non. Il songeait à l'ânesse de Balaam, qui refusait de marcher vers le pays de Moab, malgré les coups de bâton que lui donnait son maître. La chose incompréhensible en lui, c'est qu'il était à la fois Balaam, qui veut aller sur ce chemin, et l'ânesse, qui ne le veut pas. Il était désuni, il était habité par un adversaire, et il ne savait pas qui c'était.

Cependant, peu à peu, cette contrariété s'atténua, et pour finir s'effaça. Il avait cédé à une fatalité intérieure, plus forte que lui, devant laquelle toute résistance semblait vaine. Il s'en accommoda, comme on s'accommode de la mauvaise saison, ou des lois, ou de ses infirmités, ou de l'occupation étrangère... Il devint indifférent. Il se livra, résigné, à sa nouvelle condition. Il obéit, sans joie, à cette pulsion qui le portait vers le chemin, vers l'horizon.

Il erra dans toute la Judée, d'Ascalon à Jéricho. Il remonta le cours du Jourdain, trempa ses pauvres pieds dans le lac de Tibériade, s'enfonça même en Samarie jusqu'à Sébaste ; il vit la mer à Césarée, la ville romaine édifiée du temps d'Hérode, avec ses somptueux palais, ses bains, sa rade spacieuse où pouvaient accoster les galères de toute une légion.

Les vicissitudes des juifs continuaient. Le pays souffrait. De tout : de l'impôt, de l'oppression romaine, des divisions et des hargnes surtout. Des partis s'affrontaient. Sur les marchés, dans les tavernes et les échoppes, aux réunions synagogales, on grondait contre l'arrogance des sadducéens et des grands prêtres, héritiers des plus puissantes familles, accrochés à leurs privilèges et qui partageaient le pouvoir avec l'occupant. Les pharisiens prônaient la juste observance de la loi et la neutralité politique ; on les accusait d'égoïsme et d'hypocrisie. On dénonçait et vilipendait ceux qui faisaient trop bonne mine aux Romains, mais on redoutait également ceux qui prêchaient l'insoumission : ils n'auraient attiré que des ennuis. On n'aimait pas non plus les Grecs, nombreux sur les villes côtières ; mais on se méfiait aussi des juifs d'Antioche, d'Alexandrie, de Rome, toujours suspects d'avoir été contaminés par les mœurs des païens. On se disputait la fidélité à la Loi et à l'Éternel, comme des chiens se disputent une carcasse.

Et chacun méprisait ou haïssait le parti qui n'était pas le sien, à proportion qu'il se sentait lui-même méprisé ou haï.

Les Romains, pour amadouer la fierté locale, avaient laissé des bribes de pouvoir aux descendants d'Hérode. Il y eut Antipas, puis Agrippa, puis Agrippa II. Tous ces gens avaient grandi, choyés, à la cour de Rome, et en définitive ils ne plaisaient guère à quiconque. Ils étaient débauchés, dépensiers, dégénérés au fond. C'étaient les prostitués des Romains, ils n'avaient plus de juif que le nom. Le vieil Hérode avait été un tyran : du moins avait-il reconstruit le Temple. Ceux-là ne servaient à rien, ils n'étaient que des poupées.

Plus étonnant encore : les disciples de Yeshoua avaient redressé la tête. Ahasvérus le découvrit avec stupeur, et cela l'inquiéta, car c'était bien du supplice de ce Galiléen que datait sa malédiction. Dans les premiers temps après l'exécution, ses partisans avaient disparu ; ceux-là mêmes qui l'avaient suivi et écouté, qui avaient chanté ses louanges, si par hasard on les reconnaissait, se prodiguaient en dénégations bruyantes. Eh bien cela s'était retourné ; ils avaient repris courage et allaient jusqu'au plus incroyable, au plus insolent, au plus fou : ils n'hésitaient pas à répandre le bruit qu'il était revenu d'entre les morts. Mais ils étaient bien incapables de le montrer.

N'empêche qu'ils faisaient des adeptes. On en trouvait dans toutes les villes. Ils proclamaient que les gentils eux-mêmes étaient invités à leur agape. Certains n'hésitaient pas à affirmer que la circoncision n'était pas nécessaire ; il est vrai qu'ils n'étaient pas d'accord entre eux sur ce point. Ahasvérus vit exécuter l'un d'eux, Jacques, fils de Zébédée, à qui Hérode Agrippa fit trancher la tête. Il apprit qu'un autre, Étienne, avait été amené hors de Jérusalem par les gens du sanhédrin, qui le précipitèrent dans un pierrier abrupt et l'achevèrent par lapidation.

Ces dissensions, ces mauvaises humeurs, rumeurs et remuements horripilaient les Romains. Pris entre tant de conflits auxquels ils ne comprenaient rien, d'une part, et d'autre part les exigences de Rome qui voulait d'abord que l'ordre fût maintenu, ils devenaient nerveux, cassants, irascibles. Aucun fonctionnaire avisé ne convoitait le poste de procurateur en Judée. C'était presque une disgrâce ou une punition que d'être expédié là. Mécontents dès leur arrivée, contraints de négocier et de s'arranger avec les différents partis, mais se heurtant, quand par hasard ils comprenaient quelque chose, à leur hiérarchie de Rome qui ne comprenait rien, ils se dédommageaient de leur infortune par la brutalité et la prévarication.

Une insatisfaction, une hargne sourde, dissimulées par la peur, mais aisément perceptibles, un besoin inavoué de violence, irradiaient tout. Des mouvements séditieux ne cessaient de se former, des « messies » surgissaient, recrutaient dans le peuple, inquiétaient le petit commerce soucieux de tranquillité. L'un d'eux, Theudas, prétendit comme le Galiléen avoir fait des miracles, et se fit fort de traverser le Jourdain à pied sec, comme l'avait fait Josué. Le procurateur Cuspius Fadus fit massacrer ses partisans et décapiter leur chef. On protesta aussi…

De tout cela, Ahasvérus était témoin, mais c'était sans que rien ne se logeât dans son cœur pour y allumer la flamme d'une passion, d'un simple intérêt. Cela aurait pourtant été normal. N'était-il pas de ce peuple ? Il écoutait les conversations ; on ne faisait guère attention à lui ; quelquefois cependant on le prit pour un mouchard. Il s'éloignait. C'était sans regret. Tout se passait en lui comme si cela ne le concernait plus. Il n'était animé que par l'incompréhensible besoin de ne pas rester là.

À la faveur de tant de conflits qui ne menaient à rien, un parti devint puissant, celui des zélotes. Ils s'inspiraient des pharisiens, mais, alors que ceux-ci se gardaient bien de contester ouvertement les Romains, ceux-là au contraire attisaient les mécontentements. On murmura bientôt qu'ils avaient un peu partout dans la Judée des partisans plus virulents encore, qu'on appelait « sicaires » ; ceux-là soufflaient en tous lieux la violence et la colère, et dégainaient le poignard contre ceux qu'ils estimaient trop tièdes. Il y eut des embûches, des assassinats. Mais cela pouvait bien, sous couleur de politique, n'être que des règlements de comptes privés. On ne savait pas.

Enfin se produisit l'événement de trop, lorsque le procurateur Florus prétendit mettre la main, à l'issue de longues chicanes d'ordre fiscal, sur dix-sept talents d'or qui se trouvaient dans le Temple, et envoya la troupe.

La coupe était pleine. Du jour au lendemain tout un peuple excédé, mais jusque-là demeuré timide, bascula dans le giron des zélotes, et Jérusalem s'embrasa. On ne s'en prit pas seulement aux Romains ;

on menaça les dignitaires religieux ou les grandes familles jugées trop accommodantes.

La révolte gagna les campagnes. Ce n'était plus une émeute, c'était le soulèvement de tout un pays. Les sicaires recrutaient en grand nombre ; on apprit bientôt à la stupeur générale qu'ils s'étaient emparés des forteresses hérodiennes de Machéronte et de Massada, imprudemment dégarnies de soldats. À Jérusalem, un gouvernement de terreur s'était formé, auquel s'adjoignirent des modérés qui, au prétexte d'en tempérer la violence, cherchaient surtout à sauver leur peau.

Le faible Agrippa s'était efforcé de mettre le peuple en garde contre les extrémistes, ce qui n'avait eu d'autre résultat que de le faire traiter d'esclave des Romains. Il était en somme aussi débordé que l'était le procurateur, et, d'ailleurs, il se garda bien de mettre les pieds à Jérusalem. À la fin, le gouverneur de Syrie se décida à prendre l'affaire en mains ; il se désintéressa de cet allié désormais impuissant et demanda l'aide de Rome.

Et ce fut l'abomination de la désolation. L'empereur Néron, que ces histoires avec les juifs exaspéraient autant que ses prédécesseurs, expédia vers la Terre promise un de ses plus solides généraux, Vespasien, flanqué de son fils Titus, à la tête de cinquante mille soldats.

Oui, oui, des siècles après, Ahasvérus se souvenait de tout cela, quoique personne ne pût le croire ; mais lui, il le savait, il avait été le témoin de ces années qui furent celles du premier grand malheur juif (personne ne savait que l'on subirait pire encore). Il vit les légions de Titus bloquer Jérusalem, et crucifier alentour tous ceux qui tentaient de fuir la ville. Par un raffinement de cruauté, le Romain avait ordonné de les fixer au bois dans des positions diverses. Dans une nuit tombante, enfin, caché au cœur de la campagne environnante, Ahasvérus vit s'élever au ciel les flammes, et crouler le temple d'Hérode.

Le pire malheur peut ennoblir, et la détresse conférer une majesté. Ce n'est pas ce qui se passa, et il fallut alors que le malheur se vît défiguré par la honte, la détresse déshonorée par l'avilissement. La ruine de Jérusalem consommée, en effet, le « vainqueur » Titus regagna Césarée, où il comptait s'embarquer à destination de Rome. Hérode Agrippa ne vit aucun inconvénient à le recevoir fastueusement dans le palais dont il disposait en ces lieux. On avait cessé d'attendre de lui autre chose qu'une telle servilité. Mais l'abjection pouvait être encore pire, comme on le vit bientôt.

Auprès d'Agrippa vivait sa sœur, la princesse Bérénice. On ne l'aimait guère. Née et grandie à Rome, présentée jeune à la cour de César, elle y avait été admirée, et l'empereur Claude lui-même s'était occupé de son premier mariage, avec un riche personnage d'Alexandrie. Devenue veuve, elle était revenue s'établir au pays de ses ancêtres, où elle se comportait en reine. On avait murmuré, à tort ou à raison, contre sa vie dissolue.

Grâce à elle, le tréfonds de l'ignominie fut atteint, quand on apprit qu'elle s'était livrée aux embrassements du bourreau de Jérusalem, et qu'elle repartait pour Rome avec lui. Oui : la princesse Bérénice s'était faite l'amante, la femelle du général Titus ! Les pires qualifications lui furent attribuées. Elle laissait dans son sillage l'infamie avec la luxure, la prostitution avec la trahison. Elle laissait de la haine dans les griffures que les honnêtes femmes d'Israël traçaient sur leurs visages...

Tout cela, Ahasvérus l'avait vu, il en gardait en mémoire des images précises. Davantage encore il se souvenait de ce que lui-même avait été à l'époque. Il avait considéré ces événements avec effarement, avec consternation, mais rien ne le touchait plus, il ne parvenait pas à partager la révolte ou la lamentation. Il était un témoin plein de stupeur, mais de stupeur d'abord devant son propre vide. C'était comme s'il n'avait plus rien à voir avec tout cela, comme si ce n'était plus son monde.

Il n'avait plus de monde. Il était le misérable Ahasvérus. Il était un spectre désorienté, tout à son errance sans but. Un homme est porteur de son métier, de sa foi, de ses passions, de quelque chose enfin ! Lui, ne promenait qu'un vide, une tache aveugle.

La vie reprit peu à peu, dans son murmure irrépressible. On se demande parfois pourquoi l'on n'est pas mort, pourquoi tout n'est pas mort, mais le matin se lève, la faim se fait sentir et il faut vivre. Un peuple violenté, houspillé, malmené, devient comme l'herbe qui repousse. Les années passèrent. Combien ? Ahasvérus n'aurait pu le dire. Elles passaient, toutes semblables, et rien ne changeait. Les vieux mouraient, d'autres prenaient leur place. La colère et le chagrin des juifs ne changeaient pas, non plus que leur propension à d'infinies controverses qui semblaient s'alimenter d'elles-mêmes, comme des toiles d'araignées. La destruction du Temple demeurait pareille à une plaie jamais fermée, à un feu jamais éteint. Fallait-il courber la tête pour toujours ? Ne fallait-il pas plutôt faire revivre les jours de Judas dit « Maccabée » – « le marteau » –, lorsqu'il s'était dressé contre la royauté païenne d'Antiochus Épiphane ?

Un homme le crut, et parvint à retrouver la braise sous la cendre. Il avait beaucoup d'éloquence et d'énergie. Il se faisait appeler Bar Kokhba, « Fils de l'étoile ». Le bruit courut qu'il était le Messie, comme d'habitude : il y avait eu tant de messies ! Il rassembla des milliers de partisans, parvint à surprendre et à massacrer quelques garnisons romaines. Aussitôt il déclara la Judée indépendante et entreprit de battre monnaie.

Rome comprit alors que la punition infligée par Vespasien et par Titus n'avait pas été suffisante. Douze légions furent envoyées ; l'empereur Hadrien en personne s'était mis à leur tête. On croyait avoir déjà vu le pire : on s'était trompé.

Cet empereur était, paraît-il, un homme raffiné qui aimait la musique, les objets précieux, la philosophie, les poèmes, et qui divinisa le jeune amant qu'il avait longtemps caressé. Sans cesse il parcourait les provinces de l'Empire, et, partout, on louait sa sagacité, sa mesure, son sens de la justice, de la tolérance, du dialogue.

Peut-être, peut-être, mais ce n'est pas le souvenir que les juifs devaient en garder. Ce fut en réalité le pire des monstres auxquels ils eussent jamais eu affaire. En regard de lui, les pharaons ou Assuérus, dont le Livre racontait les violences et les exactions, semblaient avoir été aussi peu dangereux que des guêpes. L'armée romaine, lourde de bronze et de cuir, de machines, de chariots, de javelots enflammés, d'une intendance énorme que gérait un fonctionnariat aussi efficace qu'aveugle – et plus sûrement même, efficace parce que aveugle –, laboura le pays, mêlant à la terre le sang des hommes et la cendre des maisons. Jamais un fléau plus lourd ne s'était abattu sur Canaan. Rien ne fut épargné. On vit les soldats égorger des groupes entiers au bord des fosses qu'ils leur avaient d'abord fait creuser. On vit passer les chiourmes de centaines d'hommes, de femmes, d'enfants, poussés vers les ports, les galères, et de là vers les mines, les marchés aux esclaves, les lupanars.

Longtemps on allait raconter la fin des dix rabbins martyrisés par ordre du monstre : celui qui fut écorché vif, puis empaillé pour décorer le salon de la fille du gouverneur ; le rabbin Akiva, dépecé avec des peignes de fer, qui ne cessa, en endurant la torture, de réciter le Chema Israël ; et puis Hanina, qu'on enveloppa pour le brûler dans un rouleau de la Torah, et qui vit les lettres de l'écrit sacré s'envoler vers le ciel…

L'empereur ordonna de construire une nouvelle ville en lieu et place de Jérusalem, qui fut rasée. Elle s'appellerait Ælia Capitolina, et défense fut faite aux juifs de jamais y revenir.

La Judée, la Samarie, la Galilée perdirent aussi leur nom, que l'on remplaça par un autre : Palestine. C'était l'ultime injure, puisque l'empereur avait délibérément repris le nom des Philistins, les ennemis qu'avaient affrontés Saül et David.

Le sens de tout cela se comprenait clairement. Hadrien ne s'était pas borné à soumettre une province rebelle : il avait voulu faire disparaître les juifs de la surface de la terre. Et non seulement il avait voulu les exterminer, mais il se proposait d'effacer jusqu'à leur souvenir. Ce dont il avait témoigné était davantage encore que l'esprit de conquête et de domination. Ce n'était même plus de la haine, c'était une résolution absolue, froide, implacable et sans limite. On n'avait jamais vu cela, et sans doute ne le reverrait-on jamais...

(Le pire fut que plus tard des chrétiens l'approuvèrent : la ville où le Fils de Dieu avait souffert la Passion, disaient-ils, n'était plus digne d'exister.)

Ahasvérus avait erré au milieu de ces atrocités. Il se passait encore un phénomène étrange : lorsqu'il lui arriva de se trouver sur le chemin des décuries et des patrouilles romaines, on le laissait aller, comme si on ne le voyait pas.

Avec d'autres fuyards, il traversa l'Idumée et se rendit en Égypte.

4

Il erra désormais le long du rivage méditerranéen. Il ne savait plus maintenant pendant combien de temps, ni dans quels parages. Il ne revoyait plus qu'un poudroiement de villes et d'années. Il parcourut les juiveries de l'Égypte, de la Cyrénaïque, de l'Afrique, de la Maurétanie. Il connut Alexandrie, Utique, Hadrumète, Carthage, Leptis Magna, Césarée d'Occident.

Les ports, les greniers, les galères, les temples païens. Lui qui n'était jamais sorti de la Galilée, il n'en revenait pas du monde que les gentils avaient édifié. Tant de bateaux. Tant de jardins. Tant de murailles, de routes pavées, de palais, de casernes, de cirques. Et toujours, à l'arrière-plan, la mer bleue et vide comme l'avenir.

Des années, des décennies… Mais pour lui le temps ne changeait plus rien, il n'était que répétition ; il n'existait plus qu'un perpétuel ici et maintenant.

Par un instinct qui n'était plus qu'une habitude, il cherchait partout ses coreligionnaires ; l'ambiance des rues où ils vivaient, les odeurs des aliments, la parlure, le rassuraient, comme l'odeur du chenil ou de la bergerie rassure l'animal vagabond. Certaines communautés étaient misérables et craintives. Elles subsistaient dans les quartiers les plus sales, dépourvus de fontaines, où l'on entassait les détritus : déjà, sous l'empereur Trajan, prédécesseur de l'effroyable Hadrien, elles avaient connu la répression, les échoppes sacagées, les arrestations arbitraires, les décisions délibérément offensantes : Rome n'avait-elle pas pris la fantaisie d'interdire la circoncision ?

Mais les rigueurs de l'État ne s'allumaient pas toujours également : le fisc savait discerner où était son bien. En sorte que, dans d'autres cités, les juifs, présents depuis longtemps et n'ayant jamais inquiété les autorités, étaient prospères et respectés, certains même opulents. Hommes d'affaires, gros négociants, habitués aux coutumes païennes et discrets quant à leurs propres pratiques, introduits dans les cercles du pouvoir local, amateurs de lettres grecques, prêteurs toujours complaisants lorsqu'une femme de centurion ou de questeur convoitait un bijou, ils réservaient, à leurs coreligionnaires moins favorisés, des sourires et des démonstrations d'amitié à la fois sincères et superficiels, une sorte de libéralité facile et opportuniste. Ils venaient en aide aux migrants nouvellement arrivés, et subventionnaient la synagogue où des rabbins déguenillés, qui couvaient les menoras et les rouleaux, éduquant les enfants avec une sévère patience, prodiguaient à ces riches protecteurs des remerciements humbles, tout en se tenant à distance comme des chiens mouillés. Il faut bien vivre.

Puis il y avait le milieu, le juste milieu, les commerçants, artisans, médecins qui s'efforçaient de participer à la vie de la cité, et recommandaient la discrétion et la prudence. « Soyons pareils aux autres, disaient-ils, prions et pratiquons le culte sans nous faire voir. » Cela parut payant, plus tard, lorsque l'empereur Caracalla octroya à l'ensemble des juifs la qualité de citoyens romains. Mais certains rageaient contre ces pudeurs obliques.

Tout cela alimentait les controverses, le soir, autour des synagogues et des écoles rabbiniques. Ahasvérus venait rôder à l'entour ; il écoutait timidement ; on l'accueillait comme un vieux fou digne de pitié. Il tenta quelquefois de s'établir, reprenant son ancien métier, dans l'espoir de s'immobiliser enfin. À chaque fois ce fut un échec. Il ne pouvait résister à cette force, faite d'une intolérable anxiété, qui malgré la lassitude le chassait devant elle, poursuivi par rien ni personne, non plus qu'attiré ou appelé par un but, un désir.

Son incompréhensible destin s'emplissait de résignation comme d'une eau filtrant par des fissures. Il se laissait porter, sans plus se demander par quoi, par qui, pourquoi. Il comprenait ce qu'il voyait, ce qu'il entendait, mais sans rien en penser, tenu à l'écart dans une solitude sans loi identifiable.

Indifférent à lui-même, il savait cependant porter son regard sur les affaires humaines.

La religion changeait – ou plutôt : l'appartenance. La destruction, la dispersion de tout et de tous n'avaient pas rompu le fil. Le meilleur symbole en était sans doute ce saint homme, rabbi Ben Zakaï, qui, durant le premier siège, avait réussi à quitter Jérusalem dissimulé dans un cercueil de bois. Un symbole de mort et de résurrection. Il se réfugia à Yavné, que les Romains appelaient Jamnia. Là, il se mit en devoir d'instruire et de former des disciples qui seraient désormais porteurs de la Loi et du Livre.

Car il avait compris quelque chose d'essentiel : tout était changé, renversé, bouleversé, pour des siècles sans doute. On ne se rendrait plus au Temple de Jérusalem ; on n'y offrirait plus de sacrifices ; les grands prêtres ne draperaient plus l'adoration de Yahwé dans le manteau de leur orgueil. Or, si l'Éternel avait laissé détruire tout cela, c'était peut-être parce qu'il n'en voulait plus. Il s'agissait donc de se métamorphoser. L'idée s'imposa qu'il fallait confier l'Alliance à des hommes dont chacun serait comme un livre vivant.

À la suite de Ben Zakaï, d'autres hommes de grand savoir, rabbi Bar Yohaï, Judas Hanassi, surent au travers de la tempête préserver et enrichir la tradition, l'étude de la Loi, la prière en commun. Il ne subsistait que cela. À Jamnia, à Bet-Shéarim, on entreprit de mettre par écrit les interprétations, les commentaires, tout ce qui au cours des âges s'était agrégé à la Loi, tout ce qui était redit, les plus jeunes l'ayant appris des plus anciens. Ces travaux donnèrent naissance au livre de la Répétition : Mishna.

De nouveaux débats surgissaient. On colportait l'Apocalypse de Baruch, qui annonçait en termes de feu la colère de Dieu, lequel, en raison de leurs péchés, avait décidé de priver les juifs de la terre de Canaan. On en voulait à ceux qui, comme les zélotes et après eux les hommes de Bar Kokhba, avaient prôné la rébellion et la violence, n'apportant que le malheur. Mais on polémiquait aussi contre ces juifs qui avaient tenté de s'assimiler aux païens, certains arrivant même à prétendre que le Jupiter romain était le même que l'Éternel selon Moïse.

On avait trop cédé à cette contamination, à cet esprit de dissolution. On dénonça ceux qui avaient traduit le Livre en grec, on le brûla parfois. Il fallait revenir à la langue hébraïque, qui était la langue sacrée ; il fallait l'apprendre, il fallait copier les textes sous la forme traditionnelle des rouleaux. Le grec ou la langue romaine convenaient pour la vie de la cité, pour le commerce, pour le travail. Mais le cœur secret de tout était la synagogue, où les lectures, les chants, les homélies, les prières, s'en tenaient au plus près de la Torah. La Loi faisait l'objet de discussions de plus en plus serrées entre les docteurs. Il fallait indéfiniment en préciser les contours et les conséquences. Au livre de la Répétition s'adjoignit celui des Études, ou Talmud. On ne cesserait plus de scruter, de commenter, d'interpréter, d'approfondir, d'annoter et de recopier. On n'avait plus de ville, de temple, de pays ; on n'avait plus que cela : l'écrit.

Ahasvérus connut toutes ces choses. Lui, il n'en disait rien, il ne savait pas. C'était ainsi. Par la suite, il souffrit d'avoir vu tant de choses, et de n'être pas cru, d'être moqué. Les générations viennent et sont ignorantes et présomptueuses. Elles commencent le plus souvent par mépriser les vieillards ; elles le méprisaient davantage encore, lui, personnage sans âge qui prétendait non seulement radoter ses propres souvenirs, mais ceux des siècles ! Il est terrible de savoir, et de savoir qu'on sait, et de voir devant soi ceux qui sont loin d'imaginer l'étendue de leur propre ignorance !

Mais en même temps, sa mémoire lui paraissait ne servir à rien. Il contemplait le temps comme un abîme. Quant aux juifs, le temps n'était plus pour eux qu'une obstinée patience, dans l'attente d'on ne savait quoi.

La surprise vint d'où on ne l'attendait pas. Les gentils, les Romains, les païens, on savait ce que c'était. En revanche, on avait à peu près oublié (pour ceux, et ils étaient rares, qui en avaient jamais entendu parler) la prédication et la mort de Ieschoua.

Ce fut de ses sectateurs qu'elle vint, la surprise. Ils l'appelaient désormais Chrestos, l'oint du Seigneur, et l'on s'aperçut qu'ils étaient nombreux.

5

Quand cela commença-t-il, et fut-il manifeste à ses yeux ? Il ne s'en souvenait plus. Mais il advint que les disciples de Ieschoua n'avaient cessé de s'activer, prêchant et convertissant bien au-delà de la Palestine, et que bientôt les juifs de partout furent sommés d'apprendre que le Messie qu'ils attendaient était déjà venu, et que la façon ignominieuse dont il avait été traité était en grande partie leur faute.

Personne, dans les diverses provinces de l'Empire, ne comprenait d'où sortaient ces gens-là. Ahasvérus le savait, lui : il les avait vus prêcher et baptiser en Judée, il avait vu naître leur secte. Après quoi tout semblait avoir été emporté, anéanti, dans le grand saccage romain. Mais voici qu'à présent leurs prosélytes paraissaient dans toutes les villes.

C'est à Corinthe que pour la première fois il les vit, ayant dans son errance trouvé place sur un bateau qui se rendait là.

Ils répétaient sur les places publiques les paroles qu'ils prêtaient à Ieschoua, ils racontaient ses prodiges, les malades qu'il avait guéris, les démons qu'il avait chassés. Ils persistaient à prétendre qu'il était ressorti du tombeau. Ils s'adressaient à tous et à n'importe qui. Rien ne semblait les décourager, ni les moqueries ni les jets de pierres. Étonnamment, des païens se laissaient séduire.

Et dans le même temps, donc, ils venaient au-devant des juifs, à qui ils reprochaient de ne l'avoir pas connu.

– Vous étiez les premiers, clamaient-ils, à qui il fallait annoncer la parole de Dieu ! Mais puisque vous la rejetez, et que vous vous jugez vous-mêmes indignes de la vie éternelle, nous nous en allons présentement vers les gentils… C'est avec grande raison que le Saint-Esprit, qui a parlé à nos pères par le prophète Isaïe, a dit : « Allez vers ce peuple, et dites-lui : Vous écouterez, et en écoutant vous n'entendrez point ; vous verrez, et en voyant vous ne verrez point, car le cœur de ce peuple s'est appesanti, et leurs oreilles sont devenues sourdes, et ils ont bouché leurs yeux, de peur que leurs yeux ne voient, que leurs oreilles n'entendent, que le cœur ne comprenne, et que, s'étant convertis, je ne les guérisse. » Sachez donc que ce salut de Dieu est envoyé aux gentils, qui le recevront avec joie.

Et après avoir tenu de tels propos, ils traitaient de blasphémateurs les juifs qui protestaient. C'était un comble. Non seulement on venait annoncer aux juifs les plus pieux et fidèles que le Messie était venu, alors qu'il ne s'était jamais montré à eux, mais on les accusait collectivement de ne l'avoir pas accueilli ! Et ces « chrétiens », comme ils se nommaient eux-mêmes, qui prétendaient accomplir la loi, préféraient solliciter l'amitié des impies !

Car enfin, hormis en Galilée et en Judée, combien de juifs avaient entendu parler de Ieschoua ? Certains, toutefois, se souvenaient de Saül de Tarse, un prédicateur chétif et furibond, qui était venu dans leurs villes. Il avait subi les huées, reçu des bastonnades, il avait été jeté au cachot, mais rien ne le décourageait. Lui aussi avait traité les juifs de blasphémateurs, car ils n'acceptaient pas sa propre façon d'adorer Dieu, laquelle était pourtant contraire à la Loi. Ceux de Corinthe étaient allés s'en plaindre auprès du proconsul Gallion, qui n'avait pas voulu les écouter, indifférent à ces disputes obscures. En fin de compte, Saül et ses affidés avaient quitté la ville, pressés d'aller semer plus loin le trouble. Et voilà que ses continuateurs revenaient sans cesse, et qu'il y en avait partout !

Et il ne leur suffisait pas de se proclamer les seuls interprètes de la Loi : ils regardaient à présent de travers ceux à qui ils l'avaient volée ! On n'avait pas assez du mépris des Romains et des Grecs : il fallait que ces dévoyés, à leur tour, entreprissent de maudire les juifs !

Tout le monde se perdait de stupeur devant cette outrecuidance inconcevable, qui leur faisait dire que Ieschoua était Fils de Dieu et Dieu lui-même. Ieschoua ! Ahasvérus s'en souvenait, lui. Bien sûr, personne ne l'écoutait, mais il savait à quoi s'en tenir. Qui avait jamais suivi Ieschoua ? Pas plus de quelques centaines, quelques milliers peut-être, de Judéens ou de Galiléens crédules. Encore beaucoup d'entre eux, après l'avoir entendu une fois, s'étaient détournés, l'avaient oublié, quand ils ne l'avaient pas ouvertement renié par peur d'être appelés ses complices... Et alors, à présent, il aurait fallu que les juifs de Rome, d'Alexandrie ou d'Éphèse admissent, des décennies plus tard, que cet homme dont ils n'avaient jamais entendu parler était le Messie ?

Les autorités romaines, cependant, constatant l'activisme et les progrès de cette secte hargneuse, entreprirent de la réprimer. Cela ne profita pas pour autant aux juifs : par principe, les Romains se méfiaient désormais de tout ce qui était né d'Israël, et ils confondaient les uns comme les autres dans la même suspicion ; ils punissaient à tout moment, aveuglément.

Mais quelles que fussent les mesures prises pour les contenir, les chrétiens s'enhardissaient. Ni le scandale ni les châtiments ne les arrêtaient : on eût dit au contraire qu'ils s'en réjouissaient, du moment que cela les faisait connaître de tous. Ils contestaient le culte de l'empereur, les divertissements du cirque, toutes les hiérarchies sociales. Rien ne leur était sacré.

Ils dressaient les enfants contre le père, la femme contre le mari, le frère contre le frère. Ils tenaient des assemblées secrètes, au cours desquelles ils redisaient les paroles du Galiléen. On commença bientôt à entendre dire qu'il s'en trouvait dans l'armée, dans l'administration, et même, disait-on, à la cour impériale… Ils ne l'affichaient pas ouvertement, bien sûr ; mais, dans l'ombre, ils étendaient leur influence.

On en avait pourtant supplicié et tué, à maintes reprises, à Rome et ailleurs. Rien n'y faisait, il en surgissait toujours. Quelle force les animait ? Que se passait-il ? Il fut bientôt de notoriété publique qu'il existait un parti chrétien dans tout l'Empire.

Quand était-ce ? Ahasvérus ne comptait plus le temps. Tout se mêlait pour lui dans un nombre immense d'années. Mais des souvenirs demeuraient, comme des îlots dans la mer. Et notamment celui-ci : on apprit qu'un empereur (parmi la longue théorie des empereurs qu'il avait vus se succéder) adoptait à son tour la religion de Chrestos.

Il s'appelait Constantin. Il disposait du pouvoir absolu, et personne, bien sûr, ne pouvait contester sa décision ni la dénoncer. Mais la stupeur fut immense. On eut le sentiment que l'Empire changeait de visage. Quelque chose se passait qui semblait surhumain. Un Dieu d'Orient jusqu'alors méprisé, confiné entre fleuve et désert dans ce qui se nommait maintenant la Palestine, dans les juiveries crasseuses et les obscures synagogues où les juifs radotaient une Loi connue d'eux seuls, se levait maintenant comme un astre nouveau derrière le trône impérial, et cette singulière aurore était l'œuvre des chrétiens.

Constantin n'avait reconnu Chrestos que pour lui-même, et, s'il interdisait désormais que l'on persécutât ceux dont il tenait sa foi nouvelle, il laissait subsister les anciens cultes. Un de ses successeurs, Théodose, alla plus loin en rendant la religion du Christ obligatoire pour tous les peuples de l'Empire.

Le même État qui avait poursuivi, arrêté et exécuté les chrétiens imposait maintenant à tous leurs croyances et leur culte, avec la même brutalité. L'Église de Ieschoua se voyait offrir des richesses, des terres, des bâtiments, d'anciens temples. Ses évêques devinrent les amis, les alliés, les conseillers des empereurs, des gouverneurs, des généraux.

Leurs prédicateurs et leurs écrivains parlaient désormais au grand jour, faisaient le tri dans les pensées, dans les morales. Ils se déchaînèrent contre les juifs. On aurait dit qu'ils ne haïssaient personne autant que ceux à qui ils avaient volé la Loi ! Depuis longtemps déjà, certains disaient que les juifs étaient porteurs de lèpre ou d'autres maladies, qu'il fallait pour cela qu'on les isolât dans des quartiers à eux réservés, voire qu'on leur interdît d'en sortir... Mais la calomnie inventa pire encore. Les juifs furent réputés menteurs, lubriques, voleurs ; on répandait partout que les synagogues étaient des repères de brigands et de démons, de prostituées et d'efféminés. On accusa les juifs d'enlever et tuer des enfants chrétiens pour les dévorer au cours de cérémonies secrètes.

Un nom se mit à retentir, de plus en plus souvent. Ahasvérus, qui excitait un peu partout sur son passage la méfiance qui accompagne toujours les vagabonds, les mendiants et les apatrides, l'entendit maintes fois sonner à ses oreilles.

Ce nom était : Judas.

Selon les récits que se transmettaient les chrétiens et dont ils faisaient des livres, en effet, Ieschoua avait été arrêté par la trahison d'un de ses premiers compagnons, ainsi nommé. Ce Judas avait indiqué aux soldats du sanhédrin à quel endroit le trouver pour se saisir de lui ; il avait agi de la sorte par peur et par cupidité, après quoi, pris de remords, il s'était pendu. Désormais, pour beaucoup de chrétiens, tous les juifs s'appelèrent Judas. « Race de Judas ! », « Fils de Judas ! », « Engeance de Judas ! » furent des malédictions courantes.

Toute la Loi, tous les livres des prophètes étaient réinterprétés en fonction des enseignements de Ieschoua. Augustin, évêque d'Hippone, en Afrique, l'affirma sans ambages : « Les juifs sont nos libraires. Ils ressemblent à ces serviteurs qui portent des livres derrière leur maître ; ceux-ci les lisent à leur profit ; ceux-là les portent sans autre bénéfice que la fatigue d'en être chargés. » Augustin justifiait, rétrospectivement, les abominations commises par Rome sur la terre ancestrale : les villages brûlés, Jérusalem anéantie, les chiourmes d'esclaves poussées vers Césarée, toutes ces horreurs lui paraissaient méritées ; il y voyait la volonté de l'Éternel. Ce prédicateur impitoyable comptait bien que jusqu'à la fin des temps chaque enfant juif expierait le crime de sa race ; il voulait voir les juifs dispersés en tous lieux du monde, et partout méprisés et tenus à l'écart, afin de représenter à toutes les âmes ce qu'il advenait des négateurs de Jésus.

L'évêque de Rome Grégoire, bien plus tard, publia des recommandations relatives aux juifs. Elles étaient, de prime abord, amicales et pacifiques : il ordonnait qu'ils ne fussent plus chassés ou persécutés, qu'on les laissât partout vivre et prier selon leur Loi. Mais quand on lisait plus avant, on comprenait la raison qui le faisait parler avec tant de mansuétude apparente : il voulait que subsistât éternellement, pour l'édification des chrétiens, la race misérable qui s'était refusée à Jésus, et qu'elle fût indéfiniment montrée au doigt, un peu comme on exhibait jadis, dans les banquets, un esclave ivrogne, afin de détourner les jeunes gens de ce vice.

Et sans doute, s'ils eussent connu la singulière malédiction qui s'était abattue sur le savetier de Jérusalem, ces prêtres orgueilleux, tout parés d'insolence, auxquels désormais même les empereurs se croyaient tenus d'obéir, n'eussent pas manqué d'y voir le symbole même du perpétuel exil et de l'interminable opprobre que leurs fulminations promettaient pour tout avenir à la descendance d'Abraham. Que l'errance d'Ahasvérus fût imputable à son refus initial de porter la croix de l'agitateur nazaréen, Augustin ou Grégoire n'en eussent pas douté une seconde, et, bien des fois, il en fut tourmenté, comme on l'est quelquefois d'une supposition absurde, mais par laquelle la raison et le bon sens se laissent un moment subvertir ; et tant il est vrai qu'à force de subir le reproche ou l'accusation n'importe quel être humain finit par se croire coupable. Combien de fois, chassé sans ménagement d'un hameau ou d'une place, ne se rongea-t-il pas de cette pensée amère : il avait peut-être commis une faute contre celui qui peut-être était Dieu ?

Puis, tout seul, il secouait la tête en murmurant : « Non, non ! » Au demeurant, s'il n'avait pas obtempéré, ce jour-là, à l'ordre du Romain, ce n'était pas par haine du condamné : c'était parce qu'il n'aimait pas les Romains, d'une part ; et parce que la poutre, d'autre part, lui avait réellement paru trop pesante pour ses maigres épaules. C'était peut-être aussi la raison pour laquelle le Romain n'avait pas insisté, se bornant à chercher du regard un homme plus robuste.

Et puis enfin, à supposer même que Ieschoua fût vraiment le Fils de Dieu et Dieu lui-même, lui que ses adorateurs présentaient comme un Dieu d'amour et de pardon, aurait-il pour cela condamné un homme à une peine éternelle ?

Était-il venu pour sauver, à la fin, ou pour maudire ? Il fallait savoir !

Du reste, à mesure qu'il en apprenait davantage sur son compte, Ahasvérus considérait sans acrimonie ce Ieschoua, qui n'était certes pas le premier illuminé à avoir surgi sur la terre de Canaan, fertile en extravagances de cette sorte. Celui-là était même un des moins déplaisants, pour peu que l'on mît de côté sa prétention abominable à se dire Fils de Dieu. Ahasvérus en venait à penser sincèrement que l'on n'aurait pas dû le mettre à mort. Cela avait été réclamé avec rage par une poignée d'excités qui ne le trouvaient pas assez violent – les précurseurs de ces zélotes qui avaient par la suite causé tant de maux, eux-mêmes encouragés par quelques prêtres cauteleux, dont le premier souci était de conserver leur rang en même temps que les bonnes grâces des Romains. Bref, une alliance momentanée, et contre nature, des enragés et des serviles. Le gouverneur Pilate, connu pour son caractère hésitant et influençable, ne l'avait livré aux bourreaux que pour avoir la paix, et faire croire à sa hiérarchie qu'il tenait la ville d'une main ferme. Toute cette affaire était un malentendu, et Ahasvérus se disait que, en se bornant à interdire à Ieschoua le séjour de Jérusalem et des principales villes, on n'en serait peut-être pas arrivé à la situation présente.

Il n'en demeurait pas moins que les choses s'étaient passées ainsi, et qu'il restait victime d'un sort en vertu duquel, depuis tant de temps maintenant, il ne savait rien faire d'autre que marcher de pays en pays. Oui, ce sort ressemblait à celui de son peuple, à cet égard les chrétiens n'avaient pas tort, quoique ce ne fût certainement pas pour les raisons qu'ils invoquaient.

Alors, un mystère encore plus terrible levait son ombre en lui. Le destin des juifs demeurés fidèles était incompréhensible : c'était comme si le Tout-Puissant, Yahwé, Adonaï, le Dieu d'Abraham, d'Isaac et de Jacob, s'était détourné d'eux, demeurait désormais silencieux et ne les considérait plus.

6

Et puis il fut en Hispanie. Ce fut en un autre moment des siècles qui passaient, un moment quelconque de ce temps immense, immobile, indistinct, poudroyant, au cœur duquel il poursuivait son cheminement solitaire et fatal. Une autre race, un autre pouvoir, un autre Dieu paraissaient dans le monde des hommes. Les ismaéliens, venus du désert, s'installaient dans l'empire vermoulu que Constantinople tentait encore vaille que vaille de tenir. Ils entraient dans les villes. On entendait les accents d'une langue nouvelle, qui voulait imposer une nouvelle foi.

En Hispanie, ils ne vinrent que plus tard. Un homme terrible appesantissait alors sa parole et sa volonté sur le royaume qu'avaient fondé les Wisigoths : Isidore, l'évêque de Séville. Les chrétiens le vénéraient comme étant le plus savant homme de la terre. Il passait pour avoir lu tous les livres du monde, et les avoir tous résumés en un seul. Il était devenu le principal conseiller du roi – non, c'est peu dire : le roi ne faisait rien sans qu'il eût commandé – et sa rage se déchaînait, là encore, contre ceux qu'il appelait « peuple perfide » ou « déicide ». À cause de lui, toutes les cérémonies et les fêtes juives avaient été interdites. À cause de lui encore, les juifs s'étaient vus contraints à choisir entre la conversion, l'exil ou la mort. Ceux-là mêmes qui se convertissaient n'étaient point quittes pour autant : ils devaient restituer, afin qu'ils fussent brûlés, tous les livres juifs qui se trouvaient en leur possession ; cesser toute relation avec leurs coreligionnaires ; abandonner leurs biens à l'Église, et, pour plus de sûreté, remettre leurs enfants aux mains de familles chrétiennes. Ils ne pouvaient alors survivre qu'en se faisant les serfs des possesseurs de grands domaines.

Beaucoup d'entre eux quittèrent le pays, espérant trouver refuge dans les Gaules. Ahasvérus marcha sur leurs traces. Il connut les cités appartenant aux rois francs, Marseille, Arles, Vienne, Lyon, Mâcon, Clermont, Poitiers, Paris. Dans toutes ces villes, les juifs étaient nombreux ; ils faisaient l'artisanat, le commerce, la médecine. On les laissait vivre du moment qu'ils rendaient des services ; certains parvenaient même à être bien vus du roi, à être reçus à sa cour : c'est qu'ils prêtaient de l'argent pour de sempiternelles guerres. Et quand le roi ne pouvait pas le rendre, il les bannissait loin de sa vue. Les chrétiens n'avaient pas le droit de se rendre à leur table ni de les inviter à la leur. On tracassait jusqu'à leurs morts ;

ils devaient les enterrer nuitamment, en silence, en cachette.

Puis, de temps à autre, pour d'incompréhensibles raisons, la violence surgissait. Si survenaient l'épidémie ou la disette, on les en rendait responsables. Le roi Chilpéric menaça de faire crever les yeux de tous les juifs de Paris qui ne voudraient pas se convertir. Un autre, plus tard, Dagobert, réitéra la menace. Ils durent s'exiler et partirent vers l'est.

Les rois francs parcouraient leurs cités, afin, disaient-ils, de rendre la justice. Mais quelle justice ? Ahasvérus vit ainsi un des leurs, Gontran, paraître en grand arroi dans la cité d'Orléans. Là, quelque temps plus tôt, les chrétiens avaient mis le feu à la synagogue ; les juifs se rendirent donc en cortège auprès de Gontran pour plaider leur cause. Et voici en quels termes s'exprima la justice royale : « Malheur à cette nation juive méchante et perfide, ne vivant que de fourberies ! Ils me prodiguent aujourd'hui de bruyantes acclamations, c'est qu'ils veulent obtenir de moi que j'ordonne de relever, aux frais publics, leur synagogue que les chrétiens ont détruite ; mais je ne le ferai pas : Dieu le défend ! »

Ainsi donc, alors que le roi des Francs, depuis toujours, se faisait un devoir d'écouter les plaintes et remontrances de ses sujets, sa royauté tenant précisément à cette sollicitude, il fut désormais interdit aux juifs d'émettre aucune revendication dès lors qu'elle pouvait mettre en cause des chrétiens, ceux-ci fussent-ils coupables. Ils n'eurent plus le droit d'édifier de nouvelles synagogues, et, dans certaines villes, durant la semaine pascale, ils ne durent plus sortir de chez eux ; s'ils le faisaient, n'importe qui avait le droit de les frapper.

Et lui, Ahasrérus, une fois encore, il voyait tout cela, mais il le voyait pour rien, ni pour personne. Lorsqu'il considère ces temps, ces jours multiples, il ne voit que de l'ombre, au sein de laquelle il est lui-même une ombre, guenilleuse. Il est témoin, certes. L'Éternel, ou bien le diable, lui a donné ce privilège d'héberger en lui plus de mémoire que ne peut en contenir aucun homme : mais (est-ce punition ? est-ce ironie terrible du Tout-Puissant ?) c'est une mémoire inutilisable, un témoignage irrecevable. Qui le croirait ? Qui pourrait y ajouter foi ? À qui, pour qui son histoire ? Quels en seront jamais les destinataires ? Une accumulation de misères promises à l'oubli.

Un homme cependant l'écouta, pour la première fois et peut-être la seule d'une destinée qui n'aurait pas de terme.

C'était beaucoup plus tard. Bien des événements encore s'étaient déroulés, demeurés pour lui confus et vagues, car ils ne le concernaient pas. Un nommé Charles, qui avait le titre de duc des Francs, avait sauvé le royaume de l'invasion sarrasine, moyennant quoi c'était maintenant sa descendance qui régnait, en lieu et place des anciens rois. Et l'on disait que le nouveau roi, qui lui aussi s'appelait Charles, se montrait amical envers les juifs, qu'il invitait à s'installer dans sa nouvelle capitale et dans les cités qui s'élevaient à l'est, au bord du Rhin.

Ahasvérus se mit en chemin ; et ce fut au cours de ce voyage qu'il connut le rabbin Makhir.

7

Strasbourg, Mayence, Cologne... Tantôt large et puissant, tantôt encaissé et tumultueux, le fleuve portait les bateaux de l'une à l'autre de ces villes bruissantes d'activité, où se croisaient toutes les nationalités, toutes les religions, toutes les races. Grecs, Syriens, Arabes apportaient les produits venus de la mer romaine ; les peuples du roi des Francs fournissaient le bois des forêts, les fourrures, le fer, les esclaves thuringiens ou saxons ramenés en chiourmes après chaque campagne militaire. Une fois encore, Ahasvérus songea qu'il pourrait peut-être enfin s'établir par là et reprendre son ancien métier de savetier. L'avantage d'un tel artisanat, c'est qu'on peut l'exercer dans l'entièreté du monde. Tout homme est soutenu par ses pieds, et l'on oublie trop souvent ce que l'on doit à ces modestes serviteurs, qui subissent sans protestation tout ce qu'il nous prend fantaisie de leur faire endurer. N'empêche que la terre est âpre et les cailloux pointus, et la poussière desséchante, et la ronce ou le métal perdu, meurtriers. Alors, il faut les protéger. Ahasvérus, qui avait tout parcouru, vu de ses yeux toutes les bornes miliaires établies dans tout le monde connu par l'empire des Romains, le savait mieux que personne ; et malgré les siècles, qui auraient pu engendrer l'oubli, le cuir découpé, la semelle de bois, la lanière, la couture, le lacet et l'œilleton ne conservaient aucun secret pour lui.

Mais cet espoir de sédentarité ne dura pas longtemps. La vieille inquiétude aiguillonnait son dos, la vieille impatience courait dans ses jambes maigres et noueuses.

Il apprit alors qu'un rabbin très savant et très illustre, venu de l'Orient, séjournait à la cour du roi Charles.

Il n'avait jamais eu l'idée d'interroger un sage sur la malédiction dont il faisait l'objet ; mais dès qu'il connut l'existence de cet homme, il rêva de la lui faire connaître.

C'était cet homme qui s'appelait Makhir.

Le roi Charles, en effet, avait su porter sur les juifs un regard différent de ses prédécesseurs. Il y avait à cela plusieurs raisons. D'abord, comme l'avaient fait avant lui son père et son grand-père, il voulait chasser les Sarrasins de la Provence et de la Narbonnaise, où ils cherchaient toujours à revenir et commettaient d'incessants pillages, et il s'avisa que les juifs, nombreux dans ces régions, pouvaient être des alliés. Aussi leur accorda-t-il sa protection et exigea-t-il qu'on les laissât vivre selon leur foi et leurs coutumes. Puis il voulait développer le commerce et peupler ses États, et il s'avisa (même s'il s'abstint d'en parler ouvertement) que les intérêts de Rome et de la religion étaient une chose, mais que l'activité et les rentrées d'impôts en étaient une autre. Il souffrait, au fond, de régner sur trop de forêts et de plaines désertes. Il avait aimé la populeuse Italie. Il voulait voir des bateaux pleins, des ponts, des ports, des foires, des greniers, des bois précieux, des étoffes, des huiles, des vins ; il voulait entendre tinter parmi tout cela les monnaies dont il avait régulé l'emploi et la teneur en or, en argent ou en cuivre. C'est pourquoi il avait accordé aux juifs la même protection qu'à tous les marchands étrangers, de quelque nation qu'ils fussent, et les encourageait à s'installer dans ses villes. (Il leur défendit seulement d'avoir des serviteurs chrétiens. Il ne fallait quand même pas exagérer.)

Mieux encore. Depuis qu'il avait établi des relations avec le calife des Sarrasins, Haroun le Sage, il avait songé à la diversité des peuples sur terre. Il apprit qu'il se trouvait à Bagdad, dans ce lointain empire, des chefs juifs, que l'on appelait « exilarques ». Ils se succédaient là depuis la destruction du Temple, et leur renommée était grande. Or, s'il connaissait l'existence de nombreux juifs dans son propre royaume, il n'avait jamais entendu dire qu'ils obéissent à aucune autorité, et cela lui sembla dommage, car il aimait la hiérarchie. Il invita donc l'un d'eux à venir s'installer dans son royaume ; il lui offrit à Narbonne une riche résidence qui avait été reprise aux Sarrasins ; il lui permit d'ouvrir une école talmudique. Il comptait que ce grand personnage deviendrait le truchement qui n'existait pas encore entre les juifs de son royaume et lui-même.

Cet homme, c'était Makhir. On le disait descendant de la maison de David. Charles lui reconnut le titre de *nassi*, qui signifiait « prince des juifs », et l'invita à séjourner quelque temps à sa cour, où il le reçut avec de grands honneurs.

C'est à lui qu'Ahasvérus rêva de s'adresser. Il reprit bâton et besace, et marcha jusqu'à la cité d'Aix, au nord, où se trouvait la cour du grand roi franc. Dans un pays de plaines et d'eaux, on en voyait de loin apparaître les murs. Il y avait là le palais du roi, sa chapelle, ses magasins, ses écuries, ses bureaux. Tout autour, des forains, des commerçants, des artisans désireux de travailler pour les grands nobles avaient établi leurs baraques. Les constructions n'étant pas achevées, il se faisait tout un mouvement de chariots, de pierres, de charpenterie, qui nourrissait à son tour des boulangers, des marchands de vins, des ferronniers, de la prostitution.

Il se présenta aux postes de garde, et là, il expliqua à qui voulait l'entendre qu'il vivait depuis huit cents ans, qu'il avait connu le temps d'Hérode. On commença par hausser les épaules, on le chassa, on le menaça même, mais il revenait, humble, et à la fin, ces sentinelles et chambellans qui s'ennuyaient le trouvèrent amusant, pour une raison bien simple : il racontait toutes sortes de choses, un peu comme les poètes qui venaient quelquefois relater les batailles anciennes. Après des jours, on s'avisa qu'il donnait des détails précis, qu'un simple mendiant fou n'aurait pu inventer. Cette singularité alliée à ce charme bizarre fit penser aux fonctionnaires que le roi ne pouvait, sans atteinte à sa majesté, être davantage tenu dans l'ignorance. Cela circula dans les cours, les bureaux : il fut au bout du compte stipulé qu'il serait reçu conjointement par le nassi Makhir (auquel on ne pouvait refuser la visite d'un coreligionnaire) et par un ministre, Eginhard, qui avait toute la confiance du roi.

Et ce fut un curieux spectacle que celui de ce mendiant crasseux, cueilli à la grande porte du palais, et mené en grand arroi au travers des cours et des portiques. Le bâtiment où on l'introduisit était attenant à la célèbre chapelle octogonale, surmontée d'une coupole comme il s'en faisait à Byzance, un procédé que l'on n'avait encore jamais utilisé sous les cieux barbares du *regnum francorum*.

Ahasvérus apprit au passage, sans étonnement mais avec une légère tristesse, que la mosaïque intérieure représentait le Christ en gloire, vêtu comme un roi au plus haut des cieux. *Tu as vaincu, Galiléen...* Où avait-il entendu cette parole ? Il ne le savait plus. Mais à penser que le juif Jésus était à présent considéré comme le roi des cieux, et que l'on maudissait en son nom les juifs fidèles à la vieille Alliance, il avait envie de pleurer. Qu'avaient-ils fait ? Il espéra que le savant Makhir, qui avait conquis l'amitié du grand empereur d'Occident, répondrait à cette question et, qui sait, réconcilierait un jour chrétiens et juifs.

Makhir le reçut dans la belle chambre, ornée de tapis et de coffres richement sculptés, que l'empereur Charles avait mise à sa disposition. Se trouvait là le nommé Eginhard, donc, l'homme de confiance du grand roi. C'était un petit homme aux yeux vifs, aux gestes aimables, qui semblait dans les meilleurs rapports amicaux avec le rabbin. Ils le considérèrent avec amusement, comme font des hommes sérieux et graves, occupés d'importantes affaires, mais qui se laissent un instant divertir par un phénomène exhibé sur un champ de foire. Parfois, tout en écoutant le récit de ses pérégrinations et infortunes, ils échangeaient à mi-voix une remarque qu'Ahasvérus ne pouvait saisir. Cependant, s'ils souriaient, et s'il entrait de l'incrédulité dans leur sourire, il ne lui sembla pas y percevoir de mépris.

Il conta les pays et les siècles, la fin de Jérusalem et les lointaines synagogues, les légions, les basiliques, la misère de Rome et la richesse de Smyrne, les palais de Constantinople et les campements des Berbères, car il avait tout vu.

– Tu conviendras, savetier, que ton récit est bien étrange, dit enfin Makhir après qu'Ahasvérus eut terminé. Mais après tout, qu'est-ce qui est impossible à l'Éternel ? Et puis, même si tu as tout rêvé dans ta cervelle de vieux fou, il faut avouer que la fable ne manque pas de séduire...

Eginhard, lui, ne disait rien. Il considérait l'homme qui prétendait avoir vu le Christ, et, d'évidence, cela le troublait. Ahasvérus s'en aperçut. Il y avait là un surprenant paradoxe : cet homme eût probablement tout donné pour s'être trouvé à Jérusalem, un jour où la badauderie désœuvrée avait suivi des yeux le supplice d'un homme, comme elle se fût divertie de n'importe quel autre spectacle, une prise d'armes ou l'arrivée d'une caravane de chameaux... Qu'est-ce qui les reliait, lui, cordonnier de Jérusalem, et ce ministre d'un puissant royaume, des siècles après, autour de ce moment ?

– Et tu voudrais savoir, reprit Makhir en soupirant, ce que nous avons fait, nous autres juifs, pour mériter le destin qui est le nôtre... Nous ne le savons pas, savetier. Nous ne le savons pas. Peut-être devons-nous plutôt nous demander ce que nous n'avons pas fait... Pourtant, nous étudiions la Loi et nous continuons. Je ne renie pas la scrupuleuse fidélité des *peroushim*, les pharisiens. Ils étaient bons, ils étaient justes. Peut-être seulement trop orgueilleux. Pour le reste, nous avons été égoïstes, avares, luxurieux, mal intentionnés, comme tout le monde ! Les chrétiens, à cet égard, valent-ils mieux que nous ?

Il se tourna vers Eginhard, qui écoutait en regardant le pavement du sol :

– Combien connais-tu de chrétiens, ami Eginhard, qui obéissent véritablement à la parole de votre Ieschoua, dont ils s'enorgueillissent ? Toi, je sais qui tu es, tu as l'esprit pur et l'âme noble. Mais peux-tu en dire autant de tous les tiens ?

Eginhard secoua la tête, et le réconforta d'une tape amicale sur le bras :

– Tu sais très bien ce que j'en pense, nassi ! Des chiens. Des chiens mangés de vermine, qui se battent pour de la charogne. Même quand la charogne est de l'or, et que leur pelage est de soie ! Continue à parler à notre visiteur, je t'écoute, et je tâche d'apprendre.

Makhir salua de la tête et se tourna de nouveau vers l'effigie de poussière qui était devant lui :

– Alors voilà, mon pauvre Ahasvérus, ainsi étions-nous, et nous avons été dispersés, livrés à la fureur des païens, des gentils. Comme nous avons souffert ! Je pleure sur tant des nôtres, chassés ou massacrés, exilés, méprisés... Était-ce le châtiment de nos fautes ? Je ne sais pas. C'est peut-être encore pire, et la question qui se pose est la suivante : l'Éternel nous aperçoit-il encore à la surface de la terre ? Nous l'ignorons. Il nous reste la Loi, car elle fut donnée, car elle fut écrite. Il faut l'étudier, il faut l'apprendre, il faut la retenir, il faut la transmettre. Soumis, et espérant non pas que de cette étude la vérité surgisse, mais que cette fidélité nous acquière à nouveau, un jour ou l'autre, la tendresse dont יהוה a comblé nos ascendants...

Et la tête inclinée, il prononça quelques paroles dans une langue qu'Ahasvérus ne comprenait pas :

– ירשלם לאלהי לו יהד ריה הארץ כל אלהי יהוה

Puis il se tut un moment. Eginhard, pensif, continuait à regarder le pavement du sol, qui formait des croix, des diagonales ; mais de temps à autre, fugitivement, ses yeux se tournaient vers Makhir. Celui-ci reprit enfin :

– Ce que je crois, sans le comprendre, c'est que désormais, et pour un temps que je ne connais pas, ce n'est plus nous, le peuple de Moïse, qui écrivons l'histoire des hommes. Cela je l'ai pensé en venant ici, dans cet Occident dont j'ignorais tout. À Bagdad, à Byzance, à Rome, à Cordoue, et ici près de l'empereur Charles, nous sommes présents, certes, mais nous n'avons plus part au banquet, au cheminement de l'humanité. Nous sommes mis de côté. Dans quel but ? Je l'ignore… Les rois et les peuples d'ici, Eginhard, racontent leur histoire. Elle est faite de royaumes, de princes, de cités, de batailles. Et nous avons eu tout cela, nous autres, en d'autres temps, dans un passé lointain, mais nous ne l'avons plus. Nous avons eu David et Salomon, et Josué et Judas Maccabée. Nous avons eu la Terre promise. Peut-être, dans les temps futurs, aurons-nous de nouveau un pays et une histoire. Mais en attendant, ce qui se déroule sous les yeux de יהוה est accompli par les chrétiens et les ismaéliens. Alors, nous, nous allons continuer d'étudier, de conserver la Loi et prier. Pour nous désormais, tout recommence toujours, notre condition se reproduit, toujours identique, de siècle en siècle, de pays en pays. Parfois on nous laisse vivre, parfois on nous tracasse et persécute. Cela se reproduit sans que rien ne change. Je ne sais pas pourquoi, je te le redis, savetier ! Il ne nous reste plus que le souvenir de l'Alliance, et notre fidélité. Et c'est pourquoi, de chacun des scribes de chaque école, nous exigeons qu'il accomplisse les rites de purification avant de tracer sur le papyrus ou le vélin la moindre lettre de la moindre ligne de la Loi. Car si la moindre lettre de la moindre ligne se perdait, peut-être perdrait-on avec elle l'ultime secret. Et lorsque nous avons replié la Loi sur elle-même, nous la déposons dans un coffre précieux, qu'à son tour nous recelons dans le tabernacle.

Telle fut la réponse de Makhir à Ahasvérus.

Celui-ci ne disait rien. Il avait écouté attentivement. Il ne savait pas s'il comprenait ces paroles. Il ne savait pas ce qu'il devait en faire, ou tout simplement ce qu'il devait faire. Il n'était pas habitué à se trouver dans une magnifique salle de palais, devant deux aussi grands personnages.

Et il sentait en lui, inlassable, sa vieille pulsion absurde, incompréhensible, implacable, lui intimer l'ordre de reprendre sa marche.

– Je ne sais pas que faire de toi, savetier ! lança enfin Makhir, comme en écho à l'incertitude d'Ahasvérus, qui en cet instant se sentait comme un chien ou un bœuf attendant l'injonction du maître. Qu'en penses-tu, ami Eginhard ?

Celui-ci releva alors le menton, comme si soudain il voulait intervenir dans un entretien dont il n'avait été, jusqu'à ce moment, que le témoin. Il porta son regard sur Ahasvérus et dit :

– Tu devrais retourner chez toi.

Il y eut de nouveau un silence. Makhir le regardait, apparemment curieux de ce qu'il voulait dire. Eginhard hocha la tête :

– Notre magnificent roi et empereur Charles, dans sa sagesse, et parce qu'il souhaite avant tout la paix et la concorde des nations, a pris langue avec le calife des ismaéliens, Haroun le Sage. Oh ! cela n'a pas été très bien vu par le pontife romain, non plus que par Irène, l'impératrice de Byzance. C'est une maudite garce, elle s'efforce de contrarier tout ce que nous voulons faire. N'empêche que désormais, et grâce à la clairvoyance de Charles, les chrétiens comme les juifs peuvent se rendre en Terre sainte, assurés de n'être pas inquiétés et d'y trouver le gîte. Haroun l'a accepté, et s'en est porté garant. Lors, s'il est vrai, Ahasvérus, que tu es né à Jérusalem, retournes-y. Le temps est peut-être venu.

Il se leva.

– Aujourd'hui même, je demanderai pour toi un pécule qui te facilitera le voyage, et tu iras là-bas aussi raconter ton histoire… Je suis d'accord avec toi, ami Makhir : tout ce que nous conte ce voyageur n'est peut-être que le rêve d'un vieux fou, mais nous ne le savons pas… Nous ne le savons pas. Marche, Ahasvérus, marche ! Dieu t'a donné un destin : quel qu'il soit, il faut qu'il s'accomplisse, et c'est pourquoi j'y aiderai.

8

Ce fut ainsi qu'Ahasvérus, huit siècles après son départ, revint à Jérusalem, sa ville natale.

Il ne reconnut plus rien. D'abord parce que le souvenir transforme tout, les choses n'ont plus les mêmes proportions ; le paysage, la topographie, n'étaient pas ceux qu'avait modelés sa mémoire. Et surtout, la longue histoire des hommes était passée par là. À la ville d'Hérode, dont les murs d'enceinte dataient de Néhémie, et qui avait déjà été largement ravagée par Titus, l'empereur Hadrien avait substitué une ville entièrement romaine, Ælia Capitolina, qu'il avait peuplée des vétérans de ses légions, encourageant en outre des Grecs et des Syriens à s'y établir. Plus tard, l'impératrice Hélène à son tour s'était intéressée à la ville, pour des raisons diamétralement opposées : en vue de sanctifier l'Empire, devenu chrétien, elle l'avait couverte de basiliques, de monastères, de croix, d'auberges destinées à l'accueil des pèlerins. Elle avait rétabli une église sur le lieu du Saint-Sépulcre, à l'endroit même où l'abominable Hadrien avait fait construire un temple dédié à Vénus, déesse des lubricités païennes.

Plus tard, c'étaient les Perses qui l'avaient à nouveau saccagée. Enfin étaient venus les ismaéliens et leurs califes. Ceux-là brandissaient le drapeau du prophète Mahom, auquel beaucoup de juifs avaient cru, dans l'abord. Ils avaient édifié des monuments à sa gloire, à l'endroit même où s'était, bien avant eux, élevé le temple d'Hérode. De celui-là, il ne restait qu'un énorme mur de soutènement qu'ils appelaient mur de Bourak : Bourak était le nom du cheval de Mahom, et l'on disait que celui-ci l'avait attaché à un anneau scellé dans ce mur.

Ainsi la Jérusalem des juifs était-elle enfouie sous les traces des conquérants successifs, de même que leur religion se voyait supplantée par deux autres religions qui lui avaient tout emprunté. Et ceux qui à présent venaient là n'y trouvaient en effet qu'un mur devant lequel se prosterner, en une prière qui était aussi une supplication.

Ahasvérus ne pria pas, ne supplia pas. Comme depuis les premiers jours de sa malédiction, il était étranger. Témoin, mais étranger. Il ressentait le destin de son peuple, et peut-être même, comme l'avait pressenti Makhir, il l'incarnait, mais il n'y avait en lui ni unisson ni compassion. Il était une conscience, mais une conscience vide ; il était une mémoire, mais une mémoire sans usage. Il savait tout, mais personne, pas même les siens, ne voulait de sa science. Tout se passait comme s'il n'était fait que pour être une plaie, une maladie, une disgrâce vivante. Voilà : peut-être n'était-il pas un témoin, mais un témoignage. Il n'était ni l'accusateur, ni la victime, ni le criminel : il était la blessure.

Il revit son premier matin d'errance aux abords de Jérusalem. C'était bien loin, mais il n'avait rien oublié de ce moment. Ses yeux, ce matin-là, s'étaient portés sur la hauteur dite Golgotha, et là, il y avait trois croix, mais la croix du milieu, celle où avait pendu, misérablement exposé nu aux yeux de tous, le corps de Ieschoua, cette croix-là était vide. Il revit cette image, et cette fois-ci, huit siècles plus tard, il lui vint une idée bizarre, paradoxale, mais en même temps évidente : il était *le vide de cette croix*.

Il était le vide de cette croix ! Il eût voulu que cela s'inscrivît dans le jour, devant lui : IL ÉTAIT LE VIDE DE CETTE CROIX ! Pas un instant il ne pensa qu'une telle idée fût sacrilège et infidèle à la religion des ancêtres ; pas un instant il ne songea que cela pût être une trahison. Il était le vide de cette croix ! Il lui semblait que son corps même de vieux chemineau malpropre, puant, en était l'émanation. Où ce corps avait disparu, c'est lui qui demeurait comme un cadavre. Non, non, ce n'était pas encore cela… Mais il avait partie liée avec ce crucifié, d'une façon qu'il ne parvenait pas à comprendre. Ce qu'il avait vécu n'était pas la « punition » de n'avoir pas voulu porter la croix. Pas du tout. Il n'y avait pas de punition. Il n'y avait que la misère de l'homme, et la miséricorde.

C'était immense, aveuglant, terrible ! C'était on ne sait quelle ressemblance inversée, comme l'ombre au sol ressemble à l'homme, l'étranglement à la parole, le pleur au regard, la maladie à la guérison, la faim au pain ; comme ceux-là qui restent ressemblent à ceux qui sont partis. C'était comme le visage des morts dans le visage des vivants.

Il s'ébrouait. Il se disait soudain que toutes ces pensées n'avaient pas de sens, pas plus que n'en ont les branchages que le vent agite dans la nuit, et qui dessinent des gesticulations de spectres.

Alors, ne sachant que faire, ni où aller, il s'assit à proximité du grand mur, et il mendia. Il les voyait passer, les juifs, qui revenaient là comme lui, et psalmodiaient devant ce mur : c'était tout ce que l'Éternel leur avait laissé. Ils s'y courbaient, ils s'y frappaient la tête, et à les voir, il était saisi d'une immense pitié, d'un immense amour, oui, de l'amour, peut-être, mais une impuissante amour, et quand l'homme ne parvient pas à *effectuer* son amour, il sombre dans un puits plus profond que le puits de Jacob.

Son peuple était ainsi, épars, jeté dans un monde dont toutes les puissances lui étaient étrangères, toujours méfiantes, souvent hostiles, promptes à lui reprocher un crime qu'il n'avait pas commis. Et, bien que sa fidélité au Dieu ancestral demeurât entière, celui-ci paraissait ne plus le regarder. C'était inexplicable. Pourtant, la fidélité prévalait. On serait fidèle pour deux, ô Adonaï! Dans les synagogues et les écoles rabbiniques, on continuait d'étudier la Loi. On conservait et reproduisait les rouleaux où elle était inscrite. On en rédigeait les commentaires, on controversait sur l'interprétation, ce qui provoquait les moqueries des gentils, lesquels ne comprenaient pas que ces études, où ils ne voyaient que disputes obscures, reflétaient le désir de comprendre. Et puisque Yahwé ne laissait qu'un mur à ses enfants, on retournait, inlassablement, devant ce mur. Le mur de Dieu.

C'était peut-être fou ; c'était peut-être beau. Peut-être eût-il mieux valu l'apostasie et la métamorphose, l'abandon, l'oubli. Mais ce n'était plus l'affaire du pauvre Ahasvérus. Lui, il ne savait que raconter son histoire, il fallait qu'il racontât son histoire, et personne n'y croyait, et il ne savait pas pourquoi il le fallait, mais il le fallait. Cela aussi faisait partie de la malédiction. Il fallait qu'il dise. Cela ne lui valait que quolibets ou haussements d'épaules, mais quelque chose parlait en lui, quelque chose de plus fort que lui. Alors, face aux passants, aux curieux qui gaspillaient un instant pour lui demander qui il était, il disait :

– Je suis né ici… au temps d'Hérode !

Ah, il était pathétique ! Il était misérable ! Il était une pauvre chose un peu dégoûtante, et il ne demandait pas à être davantage… Il disait :

– Je suis né ici… au temps d'Hérode ! J'ai vu le Christ porter sa croix… J'ai vu détruire le Temple…

Et cetera. Et il narrait, il narrait. Et cela faisait parfois un petit attroupement, les gens prenaient plaisir à lui faire conter sa drôle d'histoire. Ceci avait un avantage : quelques piécettes tombaient devant lui parmi les rires.

Alors, il se passa quelque chose d'affreux : il cessa lui-même d'y croire, à son histoire, mais il la racontait quand même, pour les piécettes. Tant pis. Il avait ça à vendre. Il acceptait de n'être qu'un vieux pitre.

Et ce fut par un de ces soirs de Jérusalem (comme nous l'avons conté déjà) que s'en vint vers lui le cadi, avec ses hommes d'armes.

– Bien, tu vas foutre le camp. Si jamais je te revois ici, je te fais donner cent coups de bâton.

– Où irai-je donc ?

– Où tu voudras. Mais hors les murs. Exécution immédiate.

Il comprit à cet instant que même le rabbin Makhir et le ministre Eginhard, avec toute leur science, s'étaient trompés, et que cela ne servait à rien d'être revenu à Jérusalem. Il n'y aurait plus de destination ; il n'y aurait qu'une éternité d'errance. Il n'y aurait plus rien pour lui sinon marcher, marcher. Il n'y avait rien au bout.

Comme un ultime sarcasme retentissait derrière lui, il eut encore le réflexe de se retourner et de dire : « C'est pourtant vrai… » Mais il savait que c'était une illusion, une tromperie, car il ne le croyait plus lui-même. Il songeait au passé, à ce passé dont il était plein jusqu'à en être épuisé, et maintenant il doutait que tout cela eût réellement eu lieu. Ceux qui riaient de lui, et l'incrédule cadi de Jérusalem, étaient peut-être dans le vrai. Au bout de tant de siècles, le passé n'a plus de substance, il est comme une fleur séchée, et comme elle, il se fait poussière au contact des doigts qui l'effleurent. Avait-il jamais été cordonnier dans cette ville disparue ? S'était-il trouvé parmi les curieux sur le chemin du Golgotha ? Avait-il vu brûler le Temple, et entendu au loin le piétinement des légions d'Hadrien ? Il ne le savait pas. Il ne savait plus qui il était. Il était une ombre porteuse d'une mémoire peut-être frelatée.

Pourtant oui, il avait entendu Augustin prêcher à Hippone, et conversé à Aix avec Makhir, le favori de l'empereur des Francs...

Ah, il ne savait plus. Il était fatigué. Cette ville désormais inconnue était-elle vraiment la ville de son enfance ? Comment savoir ? Rien ne ressemblait plus à rien.

Il se hâta de franchir les remparts, comme cela lui avait été ordonné, car il redoutait les coups de bâton. Le soir, au moment où l'on fermait les portes du caravansérail voisin, il donna sa monnaie au gardien pour que celui-ci le laissât entrer et s'installer dans un coin où l'on entassait de la paille pourrie. Cet homme, pour le même prix, lui donna également une galette de froment, qu'on avait jetée parce qu'elle était rassise et que personne ne voulait plus l'acheter.

L'obscurité s'était faite. Dans la grande cour quadrangulaire, avec ses vélarium et ses portiques sous lesquels s'entassaient les pèlerins, le sommeil s'épandait à présent dans des odeurs d'eucalyptus brûlé, de chameaux, de graisses cuites et de renvois humains. Un âne à l'attache lançait sporadiquement des braiments désespérés. Des jurons s'élevaient dans un coin car la bête empêchait quelqu'un de dormir. Un chat traînait, cherchant des restes ou quelque animal plus faible que lui, pour l'estourbir.

Dormir ! Il n'y avait plus qu'à dormir. Mais de quoi dormaient-ils donc, ces voyageurs ? De quel commerce repu, de quel ex-voto déposé, de quelle luxure vidangée dans un bouge, de quelle ivrognerie lassée d'elle-même, qu'elle fût de prière ou de vin ?

Dormir... Mais de quoi donc dorment les hommes ? Pourquoi cette urgence de s'abattre dans les ténèbres ? De quoi donc dorment-ils, de quoi donc peuvent-ils dormir, si ce n'est de lassitude et de dégoût ? Comment, sinon, accepteraient-ils, et même désireraient-ils cet effondrement du soir ? S'ils n'étaient pas des bêtes ? Des bêtes ! L'âne, qui brait obstinément et les dérange, est davantage qu'eux dans la vérité ! Il brait sous la lune, parce qu'il ne comprend pas, lui, et il ne fait pas semblant de comprendre ! Quant au félin errant, il sait au moins ce qu'il cherche : une proie.

Et ce fut à cet instant qu'Ahasvérus, le savetier de Jérusalem, après huit siècles, eut une révélation qu'il n'avait jamais eue.

Car il y avait une question qu'il ne s'était jamais posée. Une seule donnée du problème qu'il n'avait jamais envisagée. Un seul angle de vue qu'il n'avait jamais adopté.

Il n'était pas un docte, lui. Il était, comme son père avant lui, un artisan, et il avait appris le métier à coups de gifles. Et on lui avait inculqué la Loi de la même façon qu'on l'avait circoncis : parce que c'était comme ça, parce que les pères, et les pères des pères, et les pères des pères des pères, avaient fait de même. Et on économisait pour acheter, quand il le fallait, la colombe du Temple. Et les prêtres en belles robes chamarrées et bordées, toutes tintinnabulantes de grelots, disaient que c'était bien. Et puis c'est tout.

En sorte que lui, pauvre bougre de savetier, il avait pris ça comme c'était. On ne conteste pas les choses comme elles sont. On est né avec. On en a été fait. On en fait partie, des choses comme elles sont.

Eh bien là, après huit siècles de fuite et de tourments, de solitude et de questions, il voyait. En tout cas, il croyait voir. Et c'était le braiement de l'âne qui lui faisait voir ce qu'il y avait à voir, comprendre ce qu'il y avait à comprendre.

Réponse : rien !

Tout était faux. Tous vivaient d'illusion.

Tout était faux, pauvres juifs houspillés, humiliés, marmottant de vaines prières ; tout était faux, rabbins pensifs, penchés sur le rouleau sacré en vous grattant la barbe, et comptant les lettres des mots, les mots des versets, les versets des prophéties. L'âne en sait plus que vous !

Tout était faux, chrétiens, orgueilleux chrétiens, voyant dans votre pauvre messie tout sanglant le roi des cieux et de la terre, et n'hésitant pas pour le proclamer à envoyer vos frères au martyre ! N'avait-il pas vu de ses yeux, dans les arènes de Lyon, la jeune Blandine payant sa foi par le supplice – une chair de quinze ans, faite pour l'étreinte et l'enfantement, livrée au flagrum et aux cornes des bêtes ? N'avait-il pas vu aussi, un peu plus tard, les prêtres du même culte se courber devant les guerriers, les puissants, les brutaux, les sanguinaires ? L'âne en sait plus que vous !

Tout était faux, tout est faux, ismaéliens arrogants, maîtres des cités et des provinces, psalmodiant dans l'aube depuis les hautes tours le nom d'un dieu tombé dans le désert comme une pierre de l'au-delà... L'âne en sait plus que vous !

Dieu n'est pas.

Ahasvérus le comprit enfin, et il sombra au même instant dans un désespoir qui ne charriait ni plaintes ni larmes, un désespoir sec et froid dont il sut que ce serait désormais son horizon, son ciel, son sol, et toute sa conscience d'être. Rien ne changerait, rien ne se dévoilerait, tout serait immobile à jamais, tout serait étranger, indifférent, et les hommes dormiraient pour rien, comme en ces instants, et à l'aurore se lèveraient pour rien.

Il connut que son mal le prenait à nouveau : cette impatience, cette poussée. Il savait bien qu'il ne pouvait rien faire contre elle. Il renonça à en gémir. Il se soumit, se remit vaille que vaille sur ses jambes et marcha à travers la cour jusqu'au portail.

Au-dehors, la lune vide et creuse éclairait sans raison des pierres sans conscience, des buissons sans fruits, des masures sans chaleur.

Il assura sur son épaule sa double besace, et, d'un pas que rien ne pressait plus puisqu'il avait devant lui l'infinité des temps, il s'enfonça dans la nuit.

Épilogue

L'an 842 de Notre Seigneur Jésus-Christ, le 14 février, Charles, dit « le Chauve », et son demi-frère Louis, dit « le Germanique », se rencontrèrent en la cité de Strasbourg où ils se jurèrent assistance mutuelle contre les prétentions de Lothaire, leur frère aîné.

Deux ans plus tôt leur père, Louis dit « le Pieux », fils de Charlemagne, avait rendu son âme à Dieu, non sans avoir divisé son empire entre ses trois fils. Ils étaient donc désormais rois tous les trois.

Louis le Pieux avait été un bon empereur, soucieux du bien de ses peuples et de ses États, mais il avait cédé une fois encore à la vieille coutume franque du partage successoral ; et qui plus est, il l'avait conçu et ordonné selon des dispositions qui étaient pires qu'une injustice : une maladresse.

Ce partage n'était pas équitable. À l'aîné, Lothaire, il avait laissé le trône d'Aix-la-Chapelle et toute la

Germanie ; à l'enfant d'un deuxième lit, Charles, il avait donné tout ce qui se trouvait à l'ouest de la Meuse et du Rhône – les merveilleuses contrées de la vieille Gaule romaine, riches en cités, en moissons, en pâturages, et productives en impôts. Quant à Louis, le puîné de son premier mariage, il avait dû se contenter de la Bavière.

Tout ça ne tenait pas debout.

Un homme, un seul, le vieil Eginhard, l'ancien conseiller de Charlemagne, avait tenté en vain, depuis sa retraite de Seligenstadt, de le dissuader d'un tel partage, et d'ailleurs même, de tout partage. Eginhard, des décennies plus tôt, tout frais émoulu de l'abbaye de Fulda, avait conquis ses galons à la cour du grand empereur. Nul mieux que lui ne connaissait l'histoire et les successions. Il avait compris, lui, ce qui avait fait la puissance et la durée de l'ancien empire romain : la pérennité et l'unité de l'État. L'État, d'une manière ou d'une autre, doit l'emporter sur ceux qui en incarnent un moment l'autorité, et leur survivre ; les hommes passent, et ils sont au service de ce qui les dépasse. Eginhard savait tout cela, et il l'avait fait valoir, et il n'était pas le seul, auprès de Charlemagne, auprès de Louis !

Mais le vieux réflexe de la horde franque était plus fort que les raisonnements. L'ancienne coutume parlait encore, et les exhortations des esprits les plus lucides ne l'avaient pas modifiée. Les chefs francs considéraient leur royaume comme un bien personnel. Ils en disposaient.

Il y avait encore pire en l'occurrence : le défunt n'avait pas précisé ce qu'il devait advenir du titre d'empereur, jadis décerné à Charlemagne par le pape de Rome ; et Lothaire, sans consulter aucun de ses deux puînés, se l'était arrogé.

Eginhard mourut, heureusement pour lui peut-être, sans avoir vu ce qui s'ensuivit, et qui était la négation de tout ce qu'il avait toujours pensé, espéré, voulu.

De prime abord, c'était au profit de Charles, l'enfant du deuxième lit, que la partialité avait été la plus criante ; il avait eu la meilleure part, et l'on eût pu s'attendre que ce fussent les deux autres qui fissent alliance contre lui. La prétention de Lothaire à l'Empire en décida autrement : ce furent Louis et Charles qui unirent contre lui les forces qu'ils purent rassembler.

La confrontation se déroula au lieu-dit Fontanet, près de la ville d'Auxerre en Bourgogne. Pour la première fois depuis la guerre civile qui avait opposé Charles Martel, le bâtard, aux enfants légitimes de Pépin de Herstal, des armées franques se battaient entre elles. Lothaire fut mis en déroute et s'enfuit vers Aix-la-Chapelle, où il se retrancha.

Les deux vainqueurs se donnèrent alors rendez-vous à Strasbourg, pour renforcer leur alliance et envisager les moyens de faire définitivement rendre gorge à l'usurpateur de l'autorité impériale.

Il se passa à cette occasion quelque chose que personne n'avait prévu. Disons plutôt que cela n'avait rien d'étonnant, mais que, tout simplement, on ne s'en était jamais avisé. Voici l'affaire.

Les deux princes souhaitaient que leur engagement réciproque fût public et prît pour témoin l'ensemble de leurs soldats. Il était important que les deux armées comprissent bien ce qui se jouait.

On réalisa alors qu'elles ne savaient pas se comprendre. Charles avait recruté ses hommes dans les Gaules, et ils parlaient plus ou moins la langue des Romains – plus ou moins seulement, et plutôt moins que plus : ce qu'ils parlaient entre eux y ressemblait, mais ils n'eussent rien compris à un discours prononcé dans l'authentique latin des clercs. Dans l'armée de Louis se mêlaient des guerriers francs, frisons, saxons, souabes, thuringiens ; ce qu'ils parlaient ressemblait à la vieille langue franque, avec les déformations que chaque peuple y avait apportées ; et quant à la langue des clercs, ils n'en soupçonnaient même pas l'existence.

Il fut donc décidé que l'on ferait rédiger le serment dans les deux idiomes que parlaient les soldats. Charles le prononcerait en langue germanique, devant les soldats de Louis ; Louis le prononcerait en langue des Gaules, devant les soldats de Charles.

On avait scrupuleusement vérifié que les mêmes choses fussent dites par l'un et par l'autre, et voici ce que chacun des deux eut à proclamer : « Pour l'amour de Dieu et pour le peuple chrétien et notre salut commun, à partir d'aujourd'hui, en tant que Dieu me donnera savoir et pouvoir, je secourrai ce mien frère par mon aide et en toute chose, comme on doit secourir son frère, selon l'équité, à condition qu'il fasse de même pour moi, et je ne tiendrai jamais avec Lothaire aucun plaid qui, de ma volonté, puisse être dommageable à mon frère. »

Les deux hommes prononcèrent ces mots à voix forte, devant les premières rangées de soldats, qui purent les répéter à ceux qui se trouvaient plus éloignés.

À leur tour, les soldats des deux camps prononcèrent la réponse, mûrement réfléchie et qu'on leur avait fait apprendre : ils jurèrent qu'ils ne prêteraient leur épée et leur bras à leur propre roi que pour autant qu'il respecterait cet engagement.

Et tel fut le caractère singulier de cette circonstance. Des soldats qui se déclaraient alliés découvraient dans le même temps ce qu'ils n'avaient jamais soupçonné, ou à quoi ils n'avaient jamais accordé d'importance : ils étaient de nations différentes, et leurs rois eux-mêmes ne pouvaient que reconnaître ce fait. Dans le principe, tous appartenaient à l'*imperium*. Dans les faits, ce que leur naissance, leur pays et les siècles avaient déposé en eux à leur insu était de nature différente.

Ces dispositions prises, les deux alliés se mirent en marche vers Aix-la-Chapelle, d'où Lothaire s'enfuit bientôt. Ils le rattrapèrent à Verdun, et il comprit que la partie était perdue pour lui. Les vainqueurs refirent le partage. À Charles fut attribué ce qu'il possédait déjà ; à Louis, l'ensemble de ce qu'on appelait désormais Germanie. Magnanimes, ils laissèrent à Lothaire les possessions italiennes de l'Empire, ainsi qu'une bande de territoire qui séparait leurs propres États. On lui accorda même, afin qu'il ne fût pas humilié, de conserver le titre d'empereur ; mais cela ne correspondait plus à aucun pouvoir particulier.

On gardait donc le nom, mais la chose avait vécu. Désormais des royaumes différents poursuivraient chacun leur destin.

*

L'an 844 de Notre Seigneur, lors d'une bataille menée à Clavijo en Espagne, entre l'armée du roi des Asturies Ramire Ier et celle de l'émir Abdéramane, deuxième du nom, l'apôtre Jacques, évangélisateur de l'Espagne, apparut monté sur un cheval blanc et brandissant une épée grâce à laquelle il mit en déroute les troupes sarrasines.

C'était peu après le long règne d'Alphonse II, dit le Chaste. Un long règne, un grand règne. Alphonse avait considérablement étendu le royaume chrétien des Asturies, lui donnant pour capitale Oviedo, où il s'était fait construire un palais, et qu'il avait peuplée d'églises. Le royaume comportait des villes importantes telles que Pampelune, Vitoria, Burgos, León, Ourense, Vigo.

Il avait su d'une part mettre à profit les dissensions entre les Sarrasins, et d'autre part nouer une bonne alliance avec les Francs. Profitant de la succession difficile de Hisham Ier, fils d'Abdéramane, que se disputaient deux prétendants, il était descendu jusqu'à Lisbonne, qu'il avait mise sous sa domination. Après quoi il s'était rendu à Toulouse, où les Francs, qui voulaient en finir avec les incursions sarrasines dans la Narbonnaise, préparaient une offensive. En 801, ils prirent Barcelone. On prétendait que leur chef, Guillaume de

Gellone, était le fils du rabbin Makhir, qu'on appelait le *nassi* (prince) des juifs. Désormais, de la mer romaine à la mer occidentale, existait une chaîne continue de territoires appartenant aux royaumes chrétiens alliés.

Dans l'intervalle, sur l'ordre du même roi Alphonse, on avait entrepris de creuser le sol au lieu-dit le Champ de l'étoile (*Campus stellae*) : ce recoin perdu de la Galice, non loin de la cité d'Iria Flavia, où se trouvaient, aux dires d'un ermite, et d'après une très ancienne rumeur, les restes de l'apôtre Jacques. De fait, ils furent trouvés. Enfin : on trouva des restes, et l'on ne voulut pas douter que ce fussent les bons.

Le roi donna un grand retentissement à cette découverte. On éleva sur place un sanctuaire, qui fut orné de colonnes romaines récupérées dans des ruines voisines ; tandis que, pour sceller son alliance avec le roi des Francs, Alphonse lui envoyait l'os frontal du grand apôtre. Enfin : un os frontal.

Les pays chrétiens avaient ainsi contenu la poussée mahométane. Cela n'empêchait pas que les Sarrasins eussent consolidé leur pouvoir sur le reste de la terre ibérique.

À l'émir Abdéramane, venu d'Orient, et qui près d'un siècle plus tôt s'était rendu maître de Cordoue et d'Al-Andalus, avait succédé son fils, Hisham ; à celui-ci, Al-Akam ; à celui-ci enfin, Abdéramane II. Comme son arrière-grand-père, ce dernier voulait que son émirat pût rivaliser de splendeur avec la lointaine Bagdad. Sa cour était fastueuse ; il y invitait des savants, des musiciens, des poètes.

Abdéramane Ier avait fait bâtir une mosquée, sur l'emplacement d'une église chrétienne de Cordoue. Abdéramane II en fit doubler la surface; il rêvait qu'elle ressemblât à une infinie forêt de colonnes. La renommée de ce merveilleux bâtiment devait se répandre dans tous les pays. Il s'appliquait à faire triompher la parole du Prophète. Des mariages avaient eu lieu entre chrétiens et musulmans; il ordonna que tous les enfants qui en naîtraient fussent élevés selon la volonté d'Allah, et châtia durement ceux qui s'opposaient à cette disposition.

Il continuait le combat contre le royaume asturien, et ce fut au cours de cette guerre toujours recommencée que se produisit l'événement dont nous avons parlé. Les troupes du roi Ramire Ier, successeur d'Alphonse, ayant été rudement bousculées, avaient dû se retrancher sur les hauteurs, dans les vieilles murailles de la cité frontalière de Clavijo. Les chrétiens étaient encerclés; ils tentèrent une sortie impétueuse qui les délivra miraculeusement d'un adversaire largement supérieur en nombre.

Dans les temps qui suivirent, la rumeur se répandit parmi les chrétiens de toute l'Hispanie que ce miracle était dû au grand saint Jacques. Il était apparu, disait-on, au milieu de la mêlée, chevauchant un destrier dont la blancheur éblouissait et aveuglait l'ennemi, et brandissant une épée plus meurtrière que l'éclair. Aucun combattant sarrasin, bien sûr, ne se souvenait d'avoir vu ce personnage. Mais les chrétiens en étaient sûrs, et ils l'appelèrent désormais Matamoros: tueur de Maures.

L'émir Abdéramane s'inquiéta tout de même, à part lui, que cette légende se répandît et qu'une grande partie de ses sujets eussent l'air d'y ajouter foi. Ce n'était pas de bon augure. Il sentait qu'un récit n'a pas besoin d'être vrai pour être efficace : il suffit qu'il soit cru. Cette fable allait persuader les chrétiens que la protection divine était sur eux. Elle décuplerait leur courage.

Le roi Ramire, de son côté, pensa exactement la même chose et s'en félicita. Partout, dans la chrétienté, la possession de reliques miraculeuses ou du tombeau d'un saint enrichissait les abbayes ou les villes, en attirant des pèlerins qui faisaient des offrandes, cherchaient de quoi manger et boire. Ramire instaura donc dans tout son royaume un modeste impôt qui permettrait d'enrichir et d'administrer le lieu saint de Compostelle. De fait, des voyageurs parurent bientôt pour y venir prier.

La terre hispanique était désormais le champ de bataille où deux races et deux religions se toisaient et comptaient leurs forces.

*

Ainsi allaient les choses, incertaines, dans ce monde qu'on appelait parfois Occident, parfois chrétienté, parfois Europe. Un nouveau péril était cependant survenu. Aux embouchures des fleuves étaient apparus des guerriers sur de larges bateaux. Ils venaient, croyait-on, de l'océan septentrional et des îles lointaines qui s'y trouvaient. Ils se nommaient eux-mêmes Vikings ou Vikingars. Les populations ébahies les virent remonter loin sur la Loire, sur la Seine, sur la Garonne, sur le Duro. Ils étaient païens et s'en prirent avec la dernière violence aux abbayes, aux églises, raflant les objets précieux, mettant le feu au reste, massacrant tout ce qui prétendait s'opposer à eux. On les vit même bientôt dans la mer romaine, tant ils étaient de hardis navigateurs.

L'empereur Charles, déjà, s'en était inquiété, et il avait fait construire des tours sur les rivages, pour surveiller l'horizon. Cela n'avait pas servi à grand-chose. Il croyait savoir qu'ils avaient été les alliés des Saxons, qu'il avait, lui, impitoyablement combattus et soumis de gré ou de force à Notre Seigneur Jésus-Christ : cela expliquait peut-être qu'ils se vengeassent sur les sanctuaires et les couvents.

Ce nouveau fléau faisait peur, en tout cas, et l'on se demandait que voulait Dieu, de quoi punissait-il ses créatures. Jésus avait annoncé l'avènement prochain du Royaume, mais les siècles avaient passé, le Royaume n'était pas venu ; quant aux royaumes que tentaient de fonder les hommes, ils duraient un moment, puis, comme un charroi de marchands ou l'intendance d'une armée se perdent à l'horizon, ils disparaissaient bientôt dans l'oubli, laissant des ruines. L'humanité *pérégrine*, comme l'avaient nommée Augustin d'Hippone et bien d'autres, trébuchait à toutes les pierres du chemin, dans une lumière incertaine dont on ne savait plus jamais si elle était le crépuscule ou l'aurore.

Note

Pas plus que dans *L'Écriture du monde* ou *La Croix et le Croissant* on n'a voulu ici inventer de personnages.

La première raison en est qu'il nous est difficile de nous représenter la vie quotidienne et les figures familières de ces âges reculés. Nous pouvons nous figurer sans trop de peine les gens du XVIIIe siècle ou de 1900 : nous avons des portraits, des photos, des témoignages innombrables. L'expression d'« âges obscurs », en revanche, n'est pas tout à fait fausse quand il s'agit du temps de Charlemagne.

La seconde raison est que les protagonistes réels, ceux en tout cas sur qui nous sommes renseignés, nous offrent des existences bien plus fascinantes que tout ce que pourrait inventer un romancier. Je ne vois pas quelle aventure fictive je pourrais ourdir, qui dépasse les aventures réelles vécues par Eginhard ou par Abd al-Rahman le dernier des Omeyyades (ici nommé Abdéramane, selon l'usage ancien).

Ce qui est inventé – supposé plutôt, ou imaginé – ce sont les sentiments que je leur prête. Je ne sais pas si Eginhard pensait ce que je dis qu'il pense ; je ne sais pas si le moine Beatus présentait la véhémence fulminante que je lui prête ; mais cela me semble plausible. J'ai pris les dates, les lieux, les faits tels que nous les connaissons. Je les ai mis en scène. Au lecteur de juger si cela paraît crédible.

La seule exception est évidemment Ahasvérus, le fameux « Juif errant » qui a inspiré tant d'œuvres littéraires. Sa légende naît en réalité au XIVe siècle. Il ne m'a pas semblé invraisemblable qu'elle pût reposer sur une tradition plus ancienne, et surtout, j'ai cru qu'on pouvait lui donner un sens plus noble et plus positif que ne faisait le vieil antijudaïsme dont elle porte la marque. Ayant décrit les métamorphoses de l'esprit chrétien, puis tenté de comprendre à son éveil la mentalité musulmane, il me paraissait indispensable de ne pas oublier en chemin l'autre monothéisme, qui les précède tous deux.

Or, durant tous ces siècles, le peuple juif n'a plus d'histoire – il faut pour cela des royaumes, des capitales, des chefs, des batailles gagnées. Ahasvérus, l'errant obscur, porte la mémoire d'un peuple dispersé, tenu à l'écart, mais tenacement et magnifiquement fidèle à sa Loi, que matérialise le rouleau de la Torah (la tradition rabbinique n'a jamais adopté le codex en lieu et place du volumen). Il incarne pour moi le drame d'un peuple placé devant le silence de son Dieu et, trop souvent, la malédiction des hommes.

On parle beaucoup, en France, de la transmission de l'Histoire. Chacun s'accorde plus ou moins à considérer que le vieux « roman national » légué par l'école de la IIIe République ne convient plus aux enfants d'un pays européanisé, mondialisé, surtout quand une partie non négligeable d'entre eux est originaire d'autres pays, d'autres cultures. On a raison. J'ai précisément écrit ces trois volumes en élargissant le panorama, et presque toujours en découvrant ce qu'on ne m'avait pas appris à l'école. On ne me disait rien de l'Empire romain d'Orient, qui dura jusqu'à la veille de la Renaissance, avant de devenir l'Empire ottoman qui est le soubassement de la Turquie et de la Grèce modernes. On ne m'avait jamais dit que Clovis exultait d'être nommé consul romain, et qu'il n'avait pas la moindre idée de « la France ». On ne m'avait jamais dit qu'Attila parlait le latin et le grec. On ne m'avait jamais dit que Mahomet fût contemporain du roi Dagobert. On ne m'avait jamais raconté l'expansion de l'Islam – on se contentait de la bataille de Poitiers. On ne m'avait jamais dit que Charlemagne rêva d'alliance avec Haroun al-Rachid.

C'est ce récit *global* concernant notre Europe que j'ai tenté de composer. Je l'achève, ou plutôt je l'interromps, conscient de l'immensité de ce que j'ignore, et soupçonnant l'étendue de ce que je n'ai pas vu et pas compris. L'histoire est une reconstruction précaire, elle est toujours à corriger, à recommencer. Mais au passage, elle nous permet de comprendre des évolutions, des confrontations, des mutations, des fractures, qui « expliquent » pour une part le monde où nous vivons présentement.

Le temps de Charlemagne demeure trouble. Son empire lui survit mal. L'Europe se décline en nations, plus tard en États-nations, un modèle inconnu des Gréco-Latins. L'empire arabe, qui s'éveille alors avec Haroun al-Rachid, n'en est encore qu'aux prodromes de la magnifique civilisation qu'il déploiera. Les hommes agissent et construisent à tâtons. Dans leur obscurité, cependant, des clartés surviennent, comme au plus noir de l'hiver la lumière renaît, avec ce solstice que connaissent les cultures païennes, chrétiennes et juives.

Chronologie

711-713 : Conquête de l'Espagne par les musulmans.

718 : Pelayo, un noble d'origine wisigothe, retranché dans les montagnes du nord de l'Espagne, est proclamé roi des Asturies. Ce minuscule royaume irrédentiste sera le noyau initial de la Reconquête.

756 : Abd al-Rahman, seul survivant de la lignée des Omeyyades, détrônée à Damas, prend le pouvoir à Cordoue et fonde un émirat dissident.

768 : Charles (Charlemagne), fils de Pépin le Bref, est couronné roi des Francs.

770 (?) : Naissance d'Eginhard.

772 : Première guerre de Charlemagne contre les Saxons ; destruction de l'Irmensul, leur arbre sacré.

773-774, puis 776 : Expéditions contre les Lombards et leur roi Didier. Charles coiffe la couronne de fer des Lombards, équivalente à la royauté sur l'Italie.

778 : Première expédition en Espagne ; échec de la prise de Saragosse et désastre de Roncevaux.

782 : Nouvelle guerre contre les Saxons ; massacre de plus de quatre mille d'entre eux à Verden.

785 : Soumission du chef saxon Widukind.

788 : Première guerre contre les Avars. Soumission de Tassilon en Bavière.

790 et suivantes : Charlemagne fait peu à peu d'Aix-la-Chapelle sa capitale.

796-801 : Nouvelles expéditions en Espagne, fondation des marches de Barcelone et de Gascogne.

800 : Charlemagne est couronné empereur.

802 : Ultimes révoltes de la Saxe, déportation de dix mille familles saxonnes qui sont dispersées dans l'Empire.

814 : Mort de Charlemagne, auquel succède son fils Louis le Pieux.

817-840 : Multiples révoltes des enfants de Louis le Pieux, qui n'acceptent pas le partage qu'il a fait entre eux de l'Empire.

V. 820-830 : Découverte, ou dans le sens ancien du terme, « invention », du tombeau de l'apôtre Jacques au lieu-dit Compostelle.

840 : Mort de Louis le Pieux.

843 : Traité de Verdun. Les trois fils de Louis le Pieux se partagent l'empire créé par Charlemagne, en trois royaumes : Francie, Germanie, Italie.

844 : Bataille de Clavijo, où l'apôtre Jacques est censé être apparu armé d'une épée. Il y gagne le qualificatif de *matamoros*, « tueur de Maures ».

Imprimé en France
FRHW011912090222
29889FR00004B/30

9 782234 065086